立花隆　最後に語り伝えたいこと

大江健三郎との対話と長崎大学の講演

立花隆

中央公論新社

「まえがき」に代えて

二〇二一年四月三十日に兄・立花隆が亡くなり、八〇日あまりが経った。

本書は、次代を担う人々に、兄がどうしても伝えたいと切望したラストメッセージを、講演録や対談など書籍未収録だった「肉声」を中心に編んだものである。


第一部「戦争の記憶」には、なんとしても戦争の恐ろしさについて伝えたいと願った兄が、二〇一五年一月に長崎大学で行った講演「被爆者なき時代に向けて」を収めた。「ヒロシマ、ナガサキ、アウシュビッツ」に代表される〈戦争と平和〉の問題は、ある時期から兄が生涯をかけて取り組もうと決めた大事なテーマの一つだった。

兄は自らこのテーマに行きついたと思っていたかもしれない。しかし、最後の二〇年間、立花の秘書として側にいた私には、父と息子が運命の糸で繋がったように感じられてならないのだ。

兄・立花隆は一九四〇年に長崎県で生まれた。太平洋戦争が始まる前の六年間、父・経雄が長崎市内のミッションスクールに在職していた時期にこの世に生を受けたのだ。長崎市内には、アウシュビッツで他人の身代わりとなり餓死刑に処せられた有名なカトリック司祭、マキシミリアノ・コルベ神父がつくった修道院があり、当時、父はこの修道院を訪れている。ずいぶんと感銘を受けたらしく、この日のことは日記に書き残してもいる。また、その後の原爆投下によって、父はたくさんの教え子を失ってしまった。

その八〇年後、父の日記を読んだ兄も、修道院があった同じ場所に建設された聖コルベ記念館を訪れ、コルベ神父が使用した机で記帳した。長崎に生まれ、父が影響を受けた修道院に自身も訪れ、たくさんの教え子を原爆で亡くした父の強烈な思いを引き継ぐかのように、戦争の恐ろしさについて、兄は、世界に、また戦争を知らない次の世代にも伝えたいと願った。

終わりが来ることのないこのテーマを、次代を担う人々に引き継いでいってほしいというのが兄の一番の望みであった。

本書の第二部「世界はどこへ行くのか」には、兄が、終生心の支えにしていた大江健三郎氏との二日にわたる対談の一部を収録した。

同対談が行われたのは、ソビエト連邦崩壊直後の一九九一年十二月である。三〇年前に行われた対談でありながら、核拡散の問題、地球環境の悪化、排外主義の蔓延、格差拡大など、二十一世紀の地球規模のテーマを熱く語り合い、いまなお、読者に新鮮な問題提起をしている。ソ連崩壊から三〇年にあたるこの年に、再びこの対談を読者に届けられることを嬉しく思う。

兄は大江氏に公私ともにお世話になった。数多くの書簡を交わし、いただいた返事は大事に保管していた。大江氏のご長男・光さんがお送りくださった絵入りの手紙は、額に入れて飾っていた。「困ったときの大江頼み」で、東京大学のゼミにも大江氏にはご参加いただき、立教大学のゼミ生を伴ってご自宅にうかがったこともあった。最後に刊行する書籍にまで大江氏がご登場くださったことを本人はとても喜んでいるはずだ。この場を借りて厚く御礼申し上げたい。

本書が立花隆のラストメッセージとして、多くの読者に受け入れられることを願ってやまない。

二〇二一年七月

菊入直代
（立花隆の実妹）

目次

装幀　中央公論新社デザイン室

立花隆

最後に語り伝えたいこと

大江健三郎との対話と長崎大学の講演

第一部　戦争の記憶

講演　「被爆者なき時代に向けて」

※この講演は、二〇一五年一月に、NHK　ETV特集「立花隆　次世代へのメッセージ～わが原点の広島・長崎から～」等の番組制作を前提に、長崎大学ポンペ会館で行われました。実際の講演を文字に起こしたうえで、立花事務所の許可を得て、編集部が一部、補って文章を作成しています。

戦争体験者がいなくなる日

今日の僕からの設問は何かといったら、これです。

「被爆者なき時代に向けて」。

これは、二つの意味があります。一つは、間もなく被爆を経験した人たちが、物理的にこの世からいなくなる日が近づいているということを言っています。

もう一つは、二度と再びこの世界に被爆者を生み出さないようにするために、あなた方は何ができるのかと問いかけています。この先の世界を被爆者ゼロにすることができるかどうかは、次代を担う君たちにかかっているのです。

一つ目の話から始めましょう。最後の被爆者が今日死にましたという、そういう二ュースが流れる日は、もう確実に、君らの世代に起こります。

そのことを僕がすごく強く実感したのは、今から数年ぐらい前なんですが、たまたま取材でロンドンにいたときに、その日の朝刊に、本日、第一次大戦の最後のソルジャーが亡くなったという記事が出たんです。それは西欧世界では大ニュースでした。

みんな、第一次大戦と第二次大戦の間に、どれぐらい時間があったか知っている？これは二〇年なんです。つまり、第一次大戦を体験した最後の人が死んだ日から、おそらく約二〇年後に、第二次大戦を体験した最後の人が死ぬんです。多少の時間差はあっても、ほぼそうです。

僕はしばらく前にアウシュビッツに見学に行ったんですが、あそこで起きていることも同じです。つまり、アウシュビッツに収容された体験を持つ人が次々に死んでいっているんです。それは世界中のユダヤ人に大変なショックを与えているんです。広島も長崎もアウシュビッツも同じなんです。もろもろの第二次大戦にまつわることを知っているその生き残りが、最期の日を迎える。その日が、目に見えるぐらいの未来に起きるんです。

講義のタイトル「被爆者なき時代に向けて」というのは、事実として被爆者がいなくなってしまうという意味ですが、冒頭、申しあげたようにその現実を迎えて、我々が何をするべきかということを、一人一人に考えてほしいという意味も込めています。日本語というのは非常に微妙な表現を、掛け言葉的に表現できるわけです。この先、被爆者を生み出さない世界をつくるためには、一体今何をすればいいのか。本日の授業を通して考えてほしいポイントはそこです。

僕はもう七十代です。終戦時には五歳でした。戦後の民主主義教育を受けた最初の世代です。日本の制度がそれ以前と以後とでは、がらっと変わり、僕の世代から新しい教科書を使って、新しいことを学ぶ日本人が生まれた。その第一世代になるわけです。僕は一〇〇％戦後民主主義世代なんですね。

僕は昭和の日本においては新しい世代だった。けれども、いまや七十代で僕と同世代というのは、この社会の中で老人世代です。いつの時代も、社会というのはあなた方のような若い世代が担うんです。

僕たちは戦前と戦後の時代の断絶を感じながら生きてきました。僕らが若いとき、日本の戦争前の歴史というのは、自分たちが生きている世界とはあまりにもかけ離れた巨大な断絶があって、ほとんど徳川時代の話を聞くのと同じくらいに思っていました。もちろん、戦前といっても日本で起きたことですから、戦後教育を受けている「今」現在と連続性はあるだろうし、つながっているはずなんです。しかし、全く現在との流れが続いていない日本で起きたことのように感じていて、戦前を日本の歴史として眺めることができなかったわけです。

これからさらに時間がたつと、おそらくあのとき僕が感じたような時代の断絶を、今度はあなた方が、もっと大きな断絶として感じるようになると思います。

『アサヒグラフ』に受けた衝撃

イントロダクションはこれぐらいにします。

僕の世代の日本人は、外国に一切行けなかったんです。海外に行かれないどころか、そもそも米軍の占領下にあったときには、日本人は広島・長崎に落とされた原爆のことも知らなかったんです。なぜかといえば、アメリカ軍が敷いた厳しい検閲体制下にありましたから、自由な新聞、自由な放送は許されない。何をいってもいい、何を書いてもいいという自由な言論社会ではありませんでした。原爆で何が起きたかという、そういうリアルなイメージを、日本人は『アサヒグラフ』「原爆被害の初公開」号という特集で初めて知ったといっていいでしょう。

一九五一年、サンフランシスコ講和条約が結ばれ、ようやく、米軍の占領が終わり、原爆に関する情報も解禁になる。このとき日本で刊行され話題になったのが『アサヒグラフ』の「原爆被害の初公開」号（一九五二年八月六日号）だった。
立花は後に、無残に焼け焦げた少年の死体、顔に被爆した女性の写真、草木一本なくなった焼け野原の写真。あまりにも劇的な体験でした。当時僕は十二歳でした（『「戦争」を語る』立花隆、二〇一六年、文藝春秋）——と振り返っている。

あの時代、日本ではマスメディアの伝える内容は、完全に占領軍の政策によってコントロールされていました。一番大きな禁止事項が、原爆について報道することで、日本人に一切伝えてはいけないとされていた。

八月六日に広島に、九日に長崎に原爆が落とされ、十五日が終戦です。九月二日には東京に停泊している米海軍の戦艦ミズーリー号の艦上で、太平洋戦争の降伏文書の調印式が行われた。それからすぐに米軍が上陸し、日本政府がやることを全て米国のアンダーコントロールに置くという、そういう日々が始まるわけです。

ただ、原爆が落ちてからアメリカ軍の占領が始まるまでに数週間ぐらいの時間的空白がありましたから、若干の情報は伝わりました。当然広島市民の生き残り、並びにその周辺の自治体の住人は広島で起きたことを知っていた。それは長崎も同様です。そういうツークッションぐらい置いた情報として、一部の日本人は原爆のことを知っていましたけれども、そのほかの人びとはほとんど知らなかったんです。

そこにいきなり原爆の被害状況を克明に伝える『アサヒグラフ』のような写真週刊誌が発売され、大変にリアルな写真が日本中にばらまかれた。それは日本人全体にとって衝撃的な体験だったんです。
だから、僕は学生時代に、世界に向けて、原爆とは何かを伝えたいと思ったわけです。その発想の原点は『アサヒグラフ』です。僕だけじゃなくて、すべての日本人があれでショックを受けた。僕らがあの『アサヒグラフ』を現実に見て受けたショックを、世界中に与えたい。あれを世界の人びとに見せたら、相当ショックを受けて、ニュースとして聞いていた原爆というものの実態を知るだろうと。そのことによって、世界の人にも「原爆を何とかしなきゃいけない」といった、そういう考えが生まれるであろうと僕は思ったんです。

大学に入った僕は、原水爆禁止運動にのめり込んでいきました。けれど、世界の反応は鈍く、ほとんど何も伝わりません。原水爆禁止運動のような活動をいささかでもした人であれば分かると思うんですが、我々日本人であれば、成長するどこかの段階で必ず目にする被爆の画像情報、その他文字情報は、世界の人びとには欠けているんです。今でもそうです。日本人なら誰もがピンとくるような原爆に対する感情も、世界ではほとんど共有されていない場合が圧倒的に多いです。

広島に原爆を落としたボーイングB29爆撃機「エノラ・ゲイ」は、ダレス飛行場のすぐそばにあるアメリカのスミソニアン博物館の分館に展示されているんですね。誰でも見に行こうと思えば行けます。相当数の日本人も見ています。そして、見た途端ショックを受けます。なぜショックを受けるかというと、そこに原爆を落とした飛行機があるということだけじゃないんです。

巨大な博物館ですから、あらゆる飛行機があるわけです。そこにエノラ・ゲイが、どーんとある。そして、そのすぐそばに、日本の「桜花」という飛行機がある。母機の飛行機につるされて、敵の艦船めがけて発射された特攻機です。人間がそれに乗って、要するに人間爆弾として飛び込んでいく。そういう飛行機です。

巨大なエノラ・ゲイの近くに、ちょこんと日本の特攻機がある。「本当にこれが？」と、驚くような小さな小さな機体です。それを見た途端、日本はあの戦争に負けて当然という感じがします。つまり、圧倒的な国力の差、技術の差を見せつけられるのです。展示を見た途端に、そこに至る歴史的事情を含めて、いろんなことを容赦なく知らされるわけです。

「デジタル・ミュージアム　戦争の記憶」

僕は長い人生でいろんなことをやってきました。東京大学の駒場や本郷キャンパスでも教えていました。その後、立教大学でもある程度の期間教えているんです。そこでいくつかのコースで学生を教えたんですが、その全コースを通じて、学部学科を超えた「立花ゼミ」という独特のゼミを作りました。こちらの長崎大学核兵器廃絶研究センター（RECNA）に近いところがあるかもしれません。

僕はその「立花ゼミ」で、「デジタル・ミュージアム　戦争の記憶」というものを作ろうと思い、現在、その構想を実現するべく実際に学生と取り組んでいます。これは基本的にはものすごく巨大な構想です。

一言でいえば、バーチャル・リアリティー（VR）技術を活用して戦争の記憶を残すためのミュージアムを作るという構想です。

バーチャル・リアリティーというのは、現実じゃないものをあたかも現実であるかのように体感させる技術です。そういうVR技術というのは、ここ二〇年、三〇年ぐらいで発展を遂げつつあって、既に我々の社会に入り込んでいますし、これからどんどん普通の生活にまで入り込んでくるはずです。

VRの本格的な研究は、ちょうど僕が東大の先端科学技術研究センター（先端研）にいたときに始まった。ですから僕は、当時、そういう技術を開発する先生方と一緒にいまして、日本バーチャルリアリティ学会の創立総会にも出席しています。この創立総会で、VR技術の未来についてしゃべったりもしました。

さて、世界中に戦争の記憶を残すために作られた、戦争博物館、ウォーミュージアムのようなものがありますね。第二次大戦に関するもののみならず、もっと前の時代のものから、「この国ではこれ」といったような戦争の記憶を残すための博物館がたくさんあります。

そういう世界の戦争博物館をVR技術を活用してオンラインで結んじゃって、世界中の人が非現実の戦争をあたかもリアルに感じることができるようにする。そういう仮想ミュージアムを作りたいと思っています。

既に、グーグルだったか、オンライン上で海外の美術館に入っていって、名画を見るということが可能になっていますね。たとえば、パリのルーブル美術館とか、ニューヨークのメトロポリタン美術館とか、実際にその絵の前に自分が行かなくても、オンラインでその美術館に入っていったように体感できる。そういうウォークイン型の仮想ミュージアムができつつあるわけです。

それと同じように、世界のウォーミュージアムに展示されているいろんなデータ、資料を全部オンラインで結んで、「戦争体験」を世界で共有する巨大な仕掛けを作ろうというのがそもそもの発想です。

これは実際にやろうとすれば、すさまじく金がかかります。技術的にまだ可能じゃない部分もありますから、僕が生きているうちにはできないと思っていますけれども、ある程度お金があればできます。本当はユネスコ（国際連合教育科学文化機関）か何かが、それを作るべきだと思っているんですが……。

今、世の中にたくさんの世界遺産がありますね。広島の原爆ドームも、核兵器の惨禍を伝える建築物として世界文化遺産に登録されています。あれは人類の共通体験として記憶にとどめるべきだ、とユネスコをはじめ、世界の人がそう思って、世界文化遺産に指定されているわけです。

長崎の原爆資料館というものも、やはり広島の原爆ドーム同様に世界中の人が見るべきミュージアムだと思います。あの戦争のあの原爆体験というものは、本当に全ての人が記憶すべき対象であることは間違いない。人類史の中で起きた非常に特異な出来事です。

その体験の中で作られた日本人の記憶が、戦後の日本をいろんな意味で突き動かしてきました。それは今でも、我々の社会の中に連綿と伝わっているわけです。だけれども、それが世界の共通体験にはなっていない。世界の共通体験にするために、広島のミュージアムないし長崎のミュージアムを世界に「持っていく」必要があるんです。そのコンテンツを持っていく。それを海外の人びとが読む、聞く、見る、そういう体験をしたときに初めて、原爆とは何だったのかということが分かるわけです。そして、将来的にはそういうことがたぶん可能になります。

負け続けてもいいから自分の意思を持ち続ける

僕は、いろいろな構想を立てたときに、自分で実現する力がなくても、アイデアを披露して、「こうすれば実現できる」と周りに説き続ければ、あるとき実現できちゃうという奇跡のようなことは起こりうると思っています。

一九五四年、アメリカがビキニ環礁で水爆実験を行い、このとき放射能を浴びた日本の遠洋マグロ漁船「第五福竜丸」の乗組員が亡くなってしまう。これによって、一気に日本全国に原水爆禁止運動が広まっていった。一九五七年には、イギリスが水爆実験を行う。このイギリスの核実験への抗議行動をきっかけに、一九五八年に反核平和団体「Campaign for Nuclear Disarmament（ＣＮＤ）」が創立された。ＣＮＤは、イギリスの核兵器研究所からロンドンへの平和行進「オルダーマストン・マーチ」を組織するなど世界中から注目されていた。

立花が東京大学に入学したのは一九五九年。被爆国として原爆の実態について世界で訴えたいと願い、友人と二人で「原水爆禁止世界アッピール運動推進委員会」を結成する。広島で開かれていた原水禁世界大会に二人で出かけ、大会に参加していた世界の代表団に対し、広島、長崎の惨状を世界に訴えたい。ついては旅費などについて支援してもらいたい——と要望してまわった。

この要望を受け、一九六〇年にＣＮＤから連絡があり、「国際学生青年核軍縮会議」に参加してほしいという招待が舞い込むことになる。ロンドン到着後の費用などはＣＮＤが工面してくれることになったものの、日本からロンドンに行くための資金がない。このため、立花はさまざまな団体に呼びかけ、資金援助を募る。この活動がマスコミに取り上げられたこともあって、立花らは国際会議への参加を実現することができた。立花らは現地で「オルダーマストン・マーチ」にも参加している。

この「オルダーマストン・マーチ」に参加したころの僕は、本当にそのへんのただ

1960年のオルダーマストン平和行進に参加する立花隆（右から３人目）

の学生ですよ。皆さんと同じです。英語もろくにしゃべれない。そういう人間だったけれども、「自分は本当に行くんだ」という意思さえあって、それを試みようとしたら、実現しちゃった。

ある意思を持って、「本当にやるぞ」といって途中までやれば、誰か助ける人が出てきたりするんです。人の共感を得れば、それが本当に実現しちゃうことがある。それがこの世の面白いところだと思います。

だけれども、いくら挑戦しても、さっぱり実現しなくて、本当に嫌になって、投げ出しちゃうという挫折体験は僕も無数にあります。皆さんも頭の中でいろんな未来を描いては、リアルな現実にぶつかって挫折して、違う方向へ行くというようなことをずっと積み重ねられてきたかもしれません。人生にはそういう側面もあります。

僕がこの授業を通していいたいことの一つはこれです。みんないろんないいことを考えて、いろんな挑戦をするでしょう。でも、大体、失敗します。思ったことなんて決して実現しないと思ったほうがいい。それでも、想いが強ければ、トライすべきなんです。

原水爆禁止運動のような社会運動などは特にそうですが、世界の人びとの気持ちをひとつにしたいと思い、挑んだとしても、大体失敗するんです。人間の気持ちは一人一人みんな違いますから、何か社会にムーブメントを起こそうという運動は、九九・九％失敗して、負け戦になるんです。そういうふうに覚悟したほうがいいんです。

それでもあきらめないで、負け続けていいから、自分の意思を持ち続けるということが僕は大事だと思います。それがこの授業の中で伝わればいい。そういう失敗の体験みたいなものを若干しゃべって、その中であなた方にとって学ぶに足ることがあれば、学んでほしいと思っているわけです。

原爆について問えば、これは日本では、「論ずるまでもなくいけないに決まっているじゃない」「当り前じゃん」という、そういう反応が起きます。しかし、それは世界の人の共通意見ではありません。あの原爆投下は正しかった、戦後の世界というのは、核兵器の上に保たれてきた平和なんだ、平和のために核兵器は必要なんだという考えも社会の中に根強くあるんです。

そういう人たちに、「これは日本人の常識です」といったふうに突き付けても、何の説得力も持ちません。

反対意見者は反対意見者で、それなりに強い気持ちで自分の主張にしがみついています。そういう意見が違う人たちと議論ないし対話をしたときに、自分にとってのその「当たり前じゃん」の気持ちをどういうふうにしたら相手に伝えられるか。それが非常に大事なんです。そのためには、具体的にそういう人間と出会って、そういう人間と対話や議論を交わすという経験を積むほかないんです。

「なぜ核兵器はいけないのか？」

さて、なぜ核兵器のような大量破壊兵器がいけないのか。これは非常に大事なところで、実は世界でこれまでもさまざまな議論が積み重ねられています。

ここに示した『軍縮条約・資料集』（藤田久一・浅田正彦編、一九九七年、有信堂高文社）。これは非常にいい本だけれども、安くはないし、そう簡単には手に入らない。ですが、軍縮にまつわるありとあらゆる議論の過程がここに出てきます。何年に誰がどういう主張をして、その流れの上で、軍縮の必要性が出てきたといった事実関係が述べられているのです。これを読めば、なぜ核兵器がいけないかということについてもわかります。

軍縮にまつわる議論の全ての始まりというか、一番古い議論は「サンクトペテルブルク宣言」です。この条約は一八六八年に採択されました。皆さん覚えている年でしょう。明治維新の年です。そのときに、ロシア皇帝が国際会議を催した。大昔から戦争というのは至るところで行われていると。ただ、戦争だから何をやってもいいじゃないかといった、絶対自由の原則があるかといえば、必ずしもそうはいえない。いろんな意味で戦争自体を制限するべきだという動きが、この時代から出てきています。特定の戦争行為については何らかのルールによって禁止されるべきだ——という議論は、ずいぶんと昔から行われてきたのです。

明治維新のころに行われたこのサンクトペテルブルク宣言では、「文明の進歩はできる限り戦争の惨禍を軽減する効果を持つべきであること、戦争中に国家が達成するために努めるべき唯一の正当な目的は敵の軍事力を弱めることであること、そのためにはできるだけ多数の者を戦闘外におけば足りること、すでに戦闘外におかれた者の苦痛を無益に増大し又はその死を不可避ならしめる兵器の使用は、この目的の範囲を越えること、それ故、そのような兵器の使用は人道の法則に反すること」とあります。

要は、戦争の現場で戦闘をしている連中は殺し合いをやっているんだから、とことんやらせるほかない。それはそうであるけれども、戦闘の外に出た人間たちの死を不可避ならしめる兵器は使用しちゃいけないとされている。

一八六八年以降は、サンクトペテルブルク宣言があらゆる軍縮の議論の基盤になっ

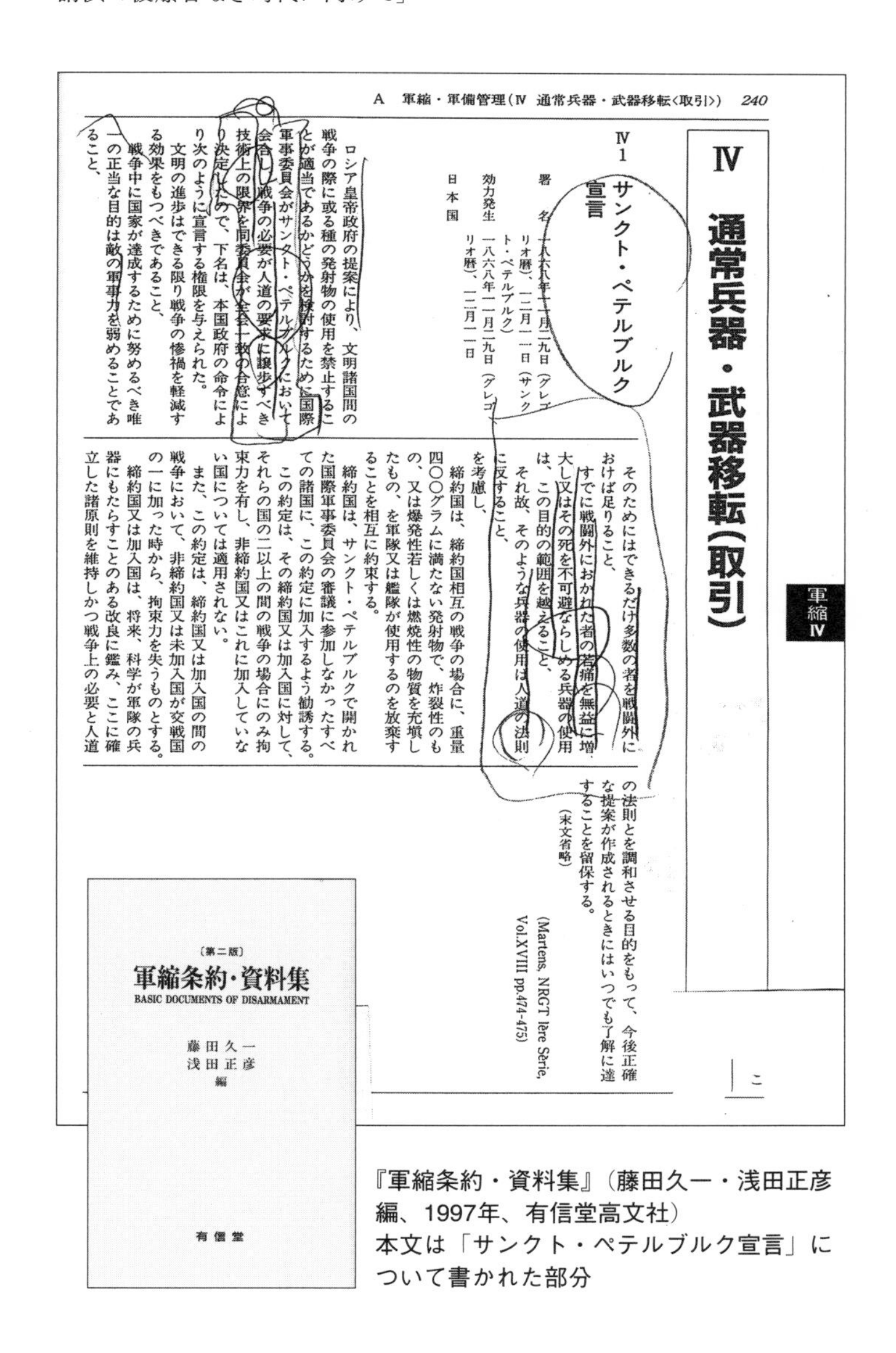

Ⅳ 通常兵器・武器移転（取引）

軍縮 Ⅳ

Ⅳ1 サンクト・ペテルブルク宣言

署名 一八六八年一一月二九日（グレゴリオ暦）、一二月一一日（サンクト・ペテルブルク）
効力発生 一八六八年一一月二九日（グレゴリオ暦）、一二月一一日
日本国

ロシア皇帝政府の提案により、文明諸国間の戦争の際に或る種の発射物の使用を禁止することが適当であるかどうかを検討するために国際軍事委員会がサンクト・ペテルブルクにおいて会合し、戦争の必要が人道の要求に譲歩すべき技術上の限界を同委員会が全会一致の合意により決定したので、下名は、本国政府の命令により次のように宣言する権限を与えられた。

文明の進歩はできる限り戦争の惨禍を軽減する効果をもつべきであること、

戦争中に国家が達成するために努めるべき唯一の正当な目的は敵の軍事力を弱めることであること、

そのためにはできるだけ多数の者を戦闘外におけば足りること、

すでに戦闘外におかれた者の苦痛を無益に増大し又はその死を不可避ならしめる兵器の使用は、この目的の範囲を越えること、

それ故、そのような兵器の使用は人道の法則に反すること、

を考慮し、

締約国は、締約国相互の戦争の場合に、重量四〇〇グラムに満たない発射物で、炸裂性のもの、又は爆発性若しくは燃焼性の物質を充塡したもの、を軍隊又は艦隊が使用するのを放棄することを相互に約束する。

締約国は、サンクト・ペテルブルクで開かれた国際軍事委員会の審議に参加しなかったすべての諸国に、この約定に加入するよう勧誘する。

この約定は、その締約国又は加入国に対して、それらの国の二以上の間の戦争の場合にのみ拘束力を有し、非締約国又はこれに加入していない国については適用されない。

また、この約定は、締約国又は加入国の間の戦争において、非締約国又は未加入国が交戦国の一に加った時から、拘束力を失うものとする。

締約国又は加入国は、将来、科学が軍隊の兵器にもたらすことのある改良に鑑み、ここに確立した諸原則を維持しかつ戦争上の必要と人道の法則とを調和させる目的をもって、今後正確な提案が作成されるときにはいつでも了解に達することを留保する。

（末文省略）

(Martens, NRGT Iere Série, Vol.XVIII pp.474-475)

『軍縮条約・資料集』（藤田久一・浅田正彦編、1997年、有信堂高文社）
本文は「サンクト・ペテルブルク宣言」について書かれた部分

戦争なら「何をやっても許される」わけではない

●サンクトペテルブルク宣言　1868年
「戦闘外におかれた者の苦痛を無益に増大し又はその死を不可避ならしめる兵器の使用の制限」

●核兵器の道義性と合法性」に関する国際シンポジウム意見書　1982.6.4 ニューヨーク

●条約・慣習法国際法による禁止事項
⇒ハーグ条約、ジュネーブ条約

ています。

一九八二年にニューヨークで開かれた「核兵器の道義性と合法性に関する国際シンポジウム」の意見書も非常にいいものですし、その後、さまざまな条約や、慣習法による禁止事項のようにして、いろんな形で成文化されていますけれども、一貫して、このサンクトペテルブルク宣言に書かれたことと同じことを言っているんです。特別に残虐なことはすべきじゃないということです。

なぜ特別に残虐なことはすべきじゃないのか。それを理解するために「ラッセル・アインシュタイン宣言」を読むとよいでし

核廃絶に向かって	
●戦争と平和に関する日本の科学者の声明	1949.12.12
●ストックホルム・アピール（世界平和評議会）	1950.3.19
●ラッセル・アインシュタイン宣言	1955.7.9
私たちは人類として 人類に向かって訴える―― あなたがたの人間性を心にとどめ、 そしてその他のことを忘れよ、と。	
●第1回 パグウォッシュ会議	1957.7.10

ょう。一九五五年、英国の数学者で哲学者のバートランド・ラッセルと米国の物理学者アインシュタインを中心とする一一人が署名した宣言です。核兵器による人類の危機を訴え、紛争解決のために平和的手段を見出すよう勧告した宣言ですが、これは要するにヒューマニズムの原則なんです。生きている人間を切り刻むとか、そういう残虐な行為はいくら何でも人間性の原則から逸脱するでしょうと。そんなことは許されないということです。

原爆の記録を見ればすぐ分かります。先ほどから出ている『アサヒグラフ』の写真を見ることでも理解できます。人間の生皮をはぐとか。それに近いことがあの原爆では起こった。原爆体験を読めば、全部の皮膚がむけた、皮が垂れ下がった――といったような描写がたくさん出てきます。どう考えても、これは人間がやることではない。そういうことをもたらしたあの兵器は禁止されるべきだというのが、自然の帰結として出てくるわけです。

だけれども、実際には、今も核兵器は大変な形で世界中に広がっている。イランや北朝鮮みたいに、新しく核保有国になって、核兵器を持つがゆえの優越したポジションを利用して、いろんな利益を獲得しようといった動きもあるわけです。

今、基本的にこの世界はどういう構造でできているかといえば、事実上平和を底で支えている構造そのものは、ＭＡＤ体制といわれている状況にあるわけです。ＭＡＤというのは何とかというと、Mutual Assured Destructionといって、日本語で「相互確証破壊」というんです。要するに、国家と国家が対立状態にあるときに、自分は確実に相手の国家を破壊して、無に帰さしめることができるぞという、圧倒的な暴力の能力を持つこと。お互いに相手のその能力に恐怖して、変なことはしないよといったような。それが戦後の世界の平和をある意味では守ってきた。

ほとんど頭のおかしいような恐怖の均衡政策の上に成り立ってきたということがあって、ゆえにＭＡＤ＝気が狂った世界です。核兵器がある世界というのは、気が狂ったような政策によって実は平和が維持されてきたといった側面があるんです。

先ほどもいいましたが、世界には「核兵器には核兵器の意味がある」という議論をする人が必ずいます。日本も例外ではありません。政治家の中にも、「日本も核武装をすべきだ」――といった議論を展開した人は何人もいます。そういう人は、基本的にこういう立場に立っているわけです。

核廃絶を実現したカナダの市民運動

先ほど、オルダーマストン・マーチの話をしました。これを組織したのは、ＣＮＤという反核団体で、四二ページの冊子の右下のマークがCampaign for Nuclear Disar-

CNDの冊子

mamentのマークです。核兵器をなくす世界を作るためのシンボルマークです。核兵器廃絶に向けた活動をしている人であれば知っています。外国に行ったらよく見るマークです。けれども、日本ではそんなにポピュラーじゃない。

一九六〇年、ロンドンで開かれた「国際学生青年核軍縮会議」に出席した際、立花はカナダ代表のディミトリ・ルソプロス氏と出会い、親交を深める。以後、何度も書簡などを通じて反核運動について議論を続けてきたが、あるときから文通が途絶えてしまう。

二〇一四年、立花はディミトリ氏と半世紀ぶりに再会する。その際、ディミトリ氏らの熱心な取り組みにより、カナダの核兵器廃絶運動が実を結び、国の制度を変更させたという史実を知り、深く感銘を受けた。

先ほども説明したとおり、反核運動はイギリスで始まりました。でも、そのイギリスにおいてすら、「実際にそうした核廃絶は理想論で、そんなのは無理だよ」といった空気がありました。そうした雰囲気は日本にもあるでしょう。ところが、反核運動を本当にちゃんとやり遂げて、国の制度を根本的に変えさせちゃったというのが、カナダの体験なんです。日本ではあまり知られていませんが一九六三年、ソ連から核兵器を搭載した爆撃機が飛んで来たら、アメリカ国内に到達しないよう、途中のカナダ上空で撃ち落とすことを目指し、アメリカがカナダ全土に核ミサイルを配備しました。

そうなったら、核戦争の被害を受けるのはカナダです。なんとしてもそうした危険を避けたいと、ディミトリ氏はカナダ政府を相手に反対運動を大々的に展開しました。

カナダというのは、アメリカの「友達」というより「親戚」みたいな国ですから、アメリカの国策に反するような政策はそれまでも、その後もほとんど出ていないんです。でも、核の危機に関しては、ディミトリさんたちの主張が国内で多数派になってゆく。その間、何年もかかっていますが、何度も選挙で負けて、彼らは何度も逮捕された。あるときはカナダからワシントンまでみんなで歩いて抗議活動をして、空港で捕まったり、道端で捕まったりもしている。それでもやったかというほど、しつこい活動をやったのちに、世論を形成し、議会を動かして本当に核廃絶を実現しちゃったんですね。

アメリカとソ連という二つの巨大国家が対峙し、二大勢力がガチンコに衝突している中でしたから、多くの人たちは、そんな市民運動は無力じゃないですか——といったようになりがちでした。実際、いろんな意味で無力は無力なんですが、僕がここで言いたいのは、本当に実現させた国もあるということなんです。本当に国民の気持ちをそちらに向けちゃえば、民主主義というのはそういう制度ですから、国策はちゃんと変わることもあるんです。これが非常に大事なことなんです。

日本の一方的核廃絶の意義

ご存じと思いますが、日本は一方的に戦争放棄をした国です。「Unilateral Disarmament」とは「一方的軍縮」ですが、日本は憲法に戦争放棄を明記して、一方的軍縮を実現した国です。ほかの国はともかく、日本はやめましたと。日本が一方的に宣言しちゃっただけなんですよ。諸外国に「攻めてこないでください」とお願いしたわけでもない。「とにかくやめます」ということで戦力の保持をやめたのが憲法九条です。

今でも憲法九条を非難する人は、あれはただの夢物語を成文化して、後生大事に守っているだけだみたいなことをいいますけれども、現実として、七〇年間日本は戦争をしなかった。日本の近代の歴史において、七〇年間戦争をしなかった期間はありません。それはあの原爆とその直後の敗戦。あれがどれだけ日本人にショックを与えたかという、その証左でもあります。

今、九条を捨てようといった議論が出ています。憲法を変えようという議論が出ています。なのでこれから先はどうなるか分かりません。RECNA（長崎大学核兵器廃絶研究センター）のシンポジウムの議論の中では、非核兵器地帯というものを世界のあちこちに作って、それを拡大していくことで、核廃絶世界というものを実現しよう――といったアイデアも出てきています。ただ、本当に世界中でこの構想を実現しようとすれば、これまた越えなきゃならない山がいくつもある。

さて、日本は一方的に戦力の不保持をうたった九条があるのに加えて、核兵器を「持たず」「作らず」「持ち込ませず」という非核三原則というのを作った国です。非核三原則を作ったのは佐藤栄作という首相で、あの人が日本で唯一ノーベル平和賞を取ったんです。非核三原則を作った功績です。

戦力不保持は基本的に、相手に対し、我々はこれをするから、その代わりにこうしてもらう……といった互酬関係の上に何かを実現するんじゃなくて、まずは自分から既に持っているものを要りませんと捨てる。これは一九五〇年代に初めて出てきたアイデアです。

だけど、これはとても難しいのです。そういうことをいっても、それに賛成する人が少ないし、世界中でそうした議論は必ずしも出てこない。互いに戦力を持っているという延長上に、世界の歴史が展開している。ではどうしたらいいのか。この問いに対し、今でも本当に合理的な、これだという議論はなかなか出ない。そのまま我々は

日本の学生運動の破綻

●過激化（暴力化・殺し合い）

●イデオロギー過多

●安易に投げ出す

行かざるを得ないといったところがあります。高い理想は決して一筋縄ではいかないというのも、これまた厳然たる事実です。

ちなみにこうした高い理想が、特定のイデオロギーと結び付いてしまって、このイデオロギーが正しくて、こちらは間違いであるといったような考え方の上に作り上げられた運動というのは、破綻しやすい傾向があります。それは日本では特に全共闘の時代に証明されています。当時、革命をも辞さないといったイデオロギーが強い運動が、日本社会にもどんどん広がりましたが、それは結局は自滅して、今の我々の社会があるわけです。

そういう歴史を踏まえなければならない。ある政治イデオロギーなど何か特定のものを頑なに信じ込んで、「それ以外にない」といった方向でいくと、どうしても運動はゆがんでいってしまうということがあります。これも今日、皆さんに言っておきたいことです。

日本が豊かなわけ

まだまだ話すべきことはいろいろあるんですが、最後に一つだけ述べておきます。これは今書店で売っている『文藝春秋 SPECIAL』（二〇一五年冬号）という雑誌です。「日本最強論」というタイトルが付いています。いま国連は、ジョセフ・E・スティグリッツというノーベル賞を受けた経済学者が考えた指標を使って、世界中の国をランキングする試みをしています。その指標で見ると、日本が圧倒的一位なんです。

この国連の新統計とは、①国民の頭脳力である人的資本、②ヒトが生産した資本、③国民の信頼関係である社会関係資本、④農業や鉱物資源を中心とした天然資本――

国連調査で「世界一の豊かさ」

一人当たりの総合的な豊かさ 1～20位

順　位	総合的豊かさ	生産した資本	人的資本	天然資本	健康資本	国全体の順位
1 日　本	435, 466	118, 193 (1)	312, 394 (1)	4, 879 (13)	6, 557, 727 (2)	2
2 米　国	386, 351	73, 243 (3)	291, 397 (2)	21, 711 (7)	6, 346, 200 (3)	1
3 カナダ	331, 919	56, 520 (6)	171, 960 (5)	103, 439 (1)	5, 047, 126 (5)	7
4 ノルウェー	327, 621	90, 274 (2)	201, 361 (3)	35, 986 (6)	6, 793, 765 (1)	15
5 オーストラリア	283, 810	66, 970 (4)	132, 376 (8)	84, 463 (3)	4, 930, 699 (7)	11
6 ドイツ	236, 115	59, 513 (5)	161, 914 (6)	14, 688 (8)	4, 989, 385 (6)	4
7 英　国	219, 089	24, 386 (8)	192, 953 (4)	1, 751 (18)	5, 478, 969 (4)	5
8 フランス	208, 623	51, 774 (7)	154, 190 (7)	2, 658 (17)	4, 873, 159 (8)	6
9 サウジアラビア	189, 043	19, 468 (9)	66, 370 (9)	103, 204 (2)	2, 703, 146 (9)	12
10 ベネズエラ	110, 264	14, 121 (10)	55, 851 (10)	40, 292 (5)	2, 046, 362 (11)	13
11 ロシア	72, 137	9, 328 (12)	14, 916 (15)	47, 893 (4)	1, 413, 368 (15)	8
12 チリ	60, 649	13, 003 (11)	35, 092 (11)	12, 555 (9)	2, 126, 500 (10)	17
13 ブラジル	38, 706	7, 644 (13)	23, 804 (12)	7, 258 (12)	1, 765, 475 (12)	9
14 南アフリカ	37, 431	6, 515 (14)	21, 147 (13)	9, 768 (10)	1, 482, 141 (13)	14
15 コロンビア	26, 779	6, 377 (15)	11, 051 (16)	9, 351 (11)	1, 441, 128 (14)	16
16 エクアドル	25, 613	4, 298 (17)	16, 6[illegible]	[illegible]	[illegible]	[illegible]
17 中　国	15, 027	4, 637 (16)	6, 5[illegible]	[illegible]	[illegible]	[illegible]
18 ナイジェリア	5, 924	388 (20)	1, 4[illegible]	[illegible]	[illegible]	[illegible]
19 インド	5, 176	1, 458 (18)	2, 3[illegible]	[illegible]	[illegible]	[illegible]
20 ケニア	3, 194	793 (19)	1, 7[illegible]	[illegible]	[illegible]	[illegible]

『文藝春秋　SPECIAL』（2015年冬号）特集　衝撃レポート　これが日本の実力だ「国連調査で『世界一の豊かさ』」（福島清彦）より

の四つの指標に着目しています。これらの数値を通算して比べると、日本は圧倒的でしょう。具体的に評価軸が何かということがないと、よく分からないかもしれませんが……。

今、日本は経済状況も怪しくなっている。ある意味で危うい時期にあり、さまざまな点で社会は頼りなくなっていますね。そういう中で、日本の将来はどうなるんだろうと考えると、若い人は相当不安になるかもしれません。そうした印象があると思います。しかし同時に、これほどに高い評価を得ている国でもあるという。それを頭の中にきちんと置いて、将来を考えてほしいんです。

赤い屍体と黒い屍体

ところで皆さん、シベリア抑留という言葉を知っていますよね。一九四五年の第二次大戦終結時、ソビエト連邦に降伏・逮捕された日本人が、シベリアで強制労働に従事させられたことをいいます。これから紹介する画家の香月泰男さんもシベリアに抑留された一人でした。

僕が書いた「赤い屍体と黒い屍体」（八一〜一〇〇ページ）という文章があります。「赤い屍体」というのは何のことかというと、香月泰男さんがシベリア送りになるときに、その列車の中から見た、満州の道端に転がっている死体なんです。それは日本人の死体です。日本人を恨んだ満州人が、生皮をはいで体が真っ赤になった状態の死体を見た。香月さんはそれを絵にしたんです。五二ページ上段の作品「１９４５」は、香月さんが描いた「赤い屍体」です。

一方、五二ページ下段の写真は、原爆投下直後の長崎に赴き、惨状を克明に記録した山端庸介さんというカメラマンが撮影した写真です。長崎に転がった真っ黒こげの少年の写真です。香月さんが指摘するいわゆる「黒い屍体」とは、こういう死体を指します。

香月さんの問題提起とは、どうも日本人というのは、あの戦争が終わった後、戦争の話というと、日本中に「黒い屍体」が転がっている話ばかりをして、「ノーモア・ヒロシマ」「ノーモア・ナガサキ」といったスローガンをがなり立てていれば、それ

赤い屍体・黒い屍体

香月泰男「1945」

少年〈長崎〉　撮影 山端庸介・長崎市・1945年８月10日

「赤い屍体」・「黒い屍体」の問題提起に
なんと答えるか

で平和が来る——といった感じでいるけれども、それはちょっと違うんじゃないかということです。

香月さんが書かれた抑留体験記『私のシベリヤ』(香月泰男、一九七〇年、文藝春秋)から引用します。

「戦後二十年間、黒い屍体は語りつがれ、語りつくされてきた。ヒロシマはアウシュヴィッツとならぶ大戦の二つの象徴となった。それは戦争一般が持つ残虐性の象徴としての無辜(むこ)の民の死だった。

黒い屍体によって、日本人は戦争の被害者意識を持つことができた。みんなが口をそろえて、ノーモア・ヒロシマを叫んだ。まるで原爆以外の戦争はなかったみたいだ、と私は思った」

その次のところが、僕は大事だろうと思うんですが、

「赤い屍体は、加害者の死としての一九四五年だった。(中略)私には、まだどうもよくわからない。あの赤い屍体について、どう語ればいいのだろう。赤い屍体の責任は誰がどうとればよいのか。再び赤い屍体を生みださないためにはどうすればよいの

『私のシベリヤ——シベリヤ・シリーズへの原点展画集』（香月泰男画、三隅町立香月美術館編、1994年、三隅町立香月美術館）

『シベリア鎮魂歌——香月泰男の世界』（立花隆、2004年、文藝春秋）

か。（中略）だが少なくとも、これだけのことはいえる。戦争の本質への深い洞察も、真の反戦運動も、黒い屍体からではなく、赤い屍体から生まれ出なければならない」

これが香月さんがお書きになっていることなんですが、ものすごく大きい、難しい問題です。

だから、今、日本は常に中国や韓国からは、「黒い屍体」の観点からではなく、「赤い屍体」の観点から責任を問われ続けているわけです。

「全民族はそのために悩まなければならない」

僕の本に『南原繁の言葉』という本があります。南原繁さんというのは、戦争が終わったときの東大総長です。この人が東大総長として、いろんなセレモニーの場でさまざまなスピーチをするんですね。それがその当時の日本人をものすごく感動させて、新聞の一面を飾るような大きな記事になったりしたんです。

その彼がしゃべった一連のことを集めて『南原繁の言葉』という本にまとめました。南原さんの「言葉」に、今の人がほとんど忘れていると思われることを指摘したか所があり、皆さんに紹介したいと思います。

お配りしたコピー（五七ページ）の中にランケというドイツの歴史学者が出てきます。この先、歴史学を学ぶ人は、歴史上最大の歴史学者としてランケの名前を聞くことになりますが、その人が昔、ヨーロッパのある王室に招かれて、歴史の講義をした。その後に、そこの王様がランケに質問するんです。ある民族が民族全体としてとんでもない歴史的な過ちを犯してしまったようなことになったら、どうすればいいんだろうと尋ねるわけです。ランケの答えは「全民族はそのために悩まなければならないであろう」。我々の悩みと苦しみは国民的償い、真理と理想を祭壇にささげる「国民的贖罪」でなければならぬ。我々は率直にその苦難を受け、苦杯を最後の一滴まで呑み乾さねばならぬ。

南原さんはクリスチャンで、この言葉の背景には、キリスト教の理想みたいなものが秘められている。そういう独特な文章になっています。つまり、「その苦難を受け、ばならぬ。

戦に敗れたこと自体は必ずしも不幸ではない。なにゆえならば、およそ理想的な国家生活の悲劇を通してかち得られるものであるから。問題は国民がそれをいかに受取り、それにいかなる自覚をもって新たに立ち向うかにある。真の国民的試練と戦はこれからである。それは、われわれが現在、経験しているごときものではない。その全貌と深刻性は今後に至って次第に明白となり来たるであろう。前述ランケがマックス王への世界史の講義の後に、王は質問して言った、「指導的位置にある人物のみならず、全民族が一つの民族的犯罪を犯し、不正な地盤の上に立って行動した場合、歴史における復讐の女神のことをいかに考えたらよいであろうか」と。ランケは答えて言った。「全民族はそのために悩まなければならないであろう」と。まことに現在ならびに将来受けるわれわれの悩みと苦しみは国民的償い——真理と理性の祭壇に献げる「国民的贖罪」でなければならぬ。われわれは素直にその苦難を受け、苦杯を最後の一滴まで呑み乾さねばならぬ。諸君にとっては戦場において死するよりも、今生き残ってこの苦難を生き抜くことが一層困難であるであろう。

この新たな苦闘において敵は固より米英ではなく、「自己自身」である。キルケゴールいうところの「自己自身との戦」（"Kampf um sich selbst"）である。もって自己の浄化と洗煉である。それは剣と砲火をもっての戦争ではなくして、理性と良心の戦である。新日本建設のための新たな「平

立花隆［編］
南原繁の言葉
8月15日・憲法・学問の自由
石坂公成／細谷憲政／石井紫郎
辻井喬／佐々木毅／姜尚中
高橋哲哉／大江健三郎／鴨下重彦
東京大学出版会

『南原繁の言葉』（立花隆編、2007年、東京大学出版会）

苦杯を最後の一滴まで呑み乾す」ということは、キリストが十字架の上で死んでいく。その行為の描写そのものが、ほぼこの文章と重なるような感じになっています。

日本には、もうあの戦争のことは違う目で語るべきだ――といったことを言う人が出てきています。今さら中国や韓国に頭を下げ続ける必要はないといった主張もあります。具体的なことになると、向こうの主張の中にも、ここが間違い、あそこが間違い、あれは違う、これは違う――ということはたくさんあります。だけれども、事柄の全体として見たときには、南原さんがここに書いたようなことを頭に置かないといけない。日本がこれから国家として世界の中でどう生きていけばいいのか。生きていくときに、どう世界と向き合うのかという。そこのところをきちんとさせないと、いつまでたっても我々は解決できない問題に悩み続けることになると思います。

エノラ・ゲイの乗組員たちの会話

冒頭いいましたように、「被爆者なき時代に向けて」というのは二重の意味を持っています。この世界から間もなくリアルな被爆者、被爆体験を持つ人たちがいなくなる。その時代が間もなく来るんだけれども、その世界に備えて何をすればいいのか。そのときに残されるのは、被爆体験がない皆さんです。あなた方が根本的に人類のこれまでの生き方を変えなきゃならない。そういう瀬戸際の社会をあなた方は生きていかなくてはならないのです。

明るい材料もあります。先ほど僕は、世界の人の中には、「核抑止が世界平和を守ってきた」「アメリカの原爆弾投下も間違っていなかった」――という主張を展開する人が一定数いると指摘しました。ただその一方で、原爆を投下したアメリカ社会においても、核兵器の問題を指摘する声はあります。大統領自身が言及したこともありました。

二〇〇九年、バラク・オバマ氏が大統領になった直後にプラハに行って、アメリカは過去、核兵器を使用したことがあるけれども、これからは世界を非核化に向けて動かしていきたい――というような決意をしゃべる有名な演説があります。ああいうことをアメリカの大統領がしゃべるなんてことは、ちょっと前までは全く考えられなかったわけです。

就任直後、オバマ大統領は、プラハにおいて「(米国は) 核兵器を使用したことがある唯一の核保有国として、米国には行動する道義的責任があります」(略)「私は、米国が核兵器のない世界の平和と安全を追求する決意であることを、信念を持って明言いたします」(二〇〇九年四月五日、米国大使館HPより) と演説した。

こちらは、最近の『ニューズウィーク　日本版』(二〇一五年一月二十日号) です。この号に、一九九五年夏にアメリカ版の『ニューズウィーク』に掲載された「なぜわれわれは原爆を落としたのか」という特集記事の一部が翻訳され、取り上げられています。

日本版のタイトルは「アメリカが見詰め直した原爆投下という『罪』」。記事の中では、広島に原爆を落とした爆撃機「エノラ・ゲイ」の乗組員たちが交わした会話も紹介されています。彼らは自分たちが落としたものが何であるのか、原爆の爆発というものが何であるのかというのがよく分からないままに爆撃し、目の前にきのこ雲がもうもうとあらわれて、それを見るわけです。そのときの会話から、彼ら自身がすごく驚いていることがわかる。

「見ろ！　あれを見ろ！」「ああ、われわれは何をしてしまったのか」という会話を交わしているわけです。一瞬にして光を放った原爆によって、あの広島・長崎に何が起きて、何がもたらされるのか、もうもうと上がってくるきのこ雲の下で何が起きているのか、全く想像できなかったんですね。

そのときの乗員の頭の中に何があったのかというと、戦争がとにかくこれで終わった。そのほっとしている気持ちと、ざまあみやがれ的な、あの戦争を始めたのはお前らじゃないか、あいつらに当然の罰を与えたんだ――という感情が、出てくるんですね。

アメリカ版の特集は、当時の大統領と側近たちが残した記録を読み解き、当時の指導者たちが原爆投下を決定するまでの過程を再現、検証しています。そのうえで、「当時の状況を考えれば、原爆投下の決断はやむを得ないものだった。避けられなかったといえるかもしれない。厳密にいえば、あれは決断と呼べるようなものではなかったからだ。当時の指導者の間で、原爆投下の是非が慎重に論じられた形跡はほとんどない」。そういうことが書かれています。

原爆の問題というのは、立場の違いからものすごく違う言説が次々に巻き起こる。それはこれまでもそうだし、今後もそうしたことが起こると思います。ただ、説明した通り、原爆を投下したアメリカの大統領自身が、核廃絶に向けたスピーチをする。アメリカを代表するニュース週刊誌においても原爆投下の問題点を厳しく指摘する特集が組まれるという新たな現象もあるわけですね。

一方で、そうした動きに反発する人もいます。エノラ・ゲイの機長はもう死んでいますが、息子が生きているんですね。原爆を落とした一連のことをオバマ大統領が反省の念を込めて語った途端、今度はアメリカのメディアにその息子が出てきて、とんでもないことを言うやつだといった発言をするわけです。

こういう時代はまだまだ続くんです。それは日本とアメリカの間にも起こるし、日本と中国の間にも起こるし、日本と韓国の間にも起こってきたし、これからも起こり

REARVIEW

"Why We Did It"

アメリカが見詰め直した原爆投下という「罪」

戦後70年を迎える2015年は、あらためて世界が第二次大戦を振り返る年になるだろう。5000万人以上と推計されるおびただしい死者を出した過去最悪の戦争は、人類史上初めて核兵器が使用された戦争でもあった。

今から20年前、戦後50年目に当たる95年7月24日号のニューズウィークは、「なぜわれわれは原爆を落としたのか」と題した24ページの特集を組んだ。冒頭の記事は、広島に原爆を投下した爆撃機B29「エノラ・ゲイ」の乗員たちが証言する機内の緊迫した様子から始まる。

「閃光が機内にあふれた」と、ポール・ティベッツ機長は原爆「リトル・ボーイ」が炸裂した瞬間を証言。副操縦士ロバート・ルイスによれば、「機内にいた者は一瞬黙り込み、それからせきを切ったようにしゃべり始めた」。きのこ雲を上空から目撃したルイスは、「見ろ！あれを見ろ！」と叫んだ。そして、ペンを執って日誌にこう記した――「ああ、われわれは何をしてしまったのか」

この特集の意図は、ルイスが発した問いを50年後にアメリカ人読者と共有し、ヒロシマと正面から向き合うことだった。アメリカでは94年から95年にかけて、スミソニアン航空宇宙博物館が企画したエノラ・ゲイと被爆資料の特別展示をきっかけに、原爆使用の是非をめぐる大論争が繰り広げられていた。世論調査によれば、高齢者の間では原爆投下を肯定する声が辛うじて多数派を占めていたが、30歳未満の若者には否定的な声が多かった。歴史学者からは原爆投下は倫理的にも戦略的にも不必要だったという声が上がり、多くのアメリカ人がその道義的正当性を検証しようとしていた。

ニューズウィークの特集はこうした「正義か否か」の論争からは距離を置き、ハリー・トルーマン大統領と側近たちが残した記録を使って当時の指導者たちが原爆投下を決定するまでの過程を再現、検証する道を取った。

急死したフランクリン・ルーズベルト大統領の後を継ぎ狼狽するトルーマンや、原爆開発の責任者で好戦的なレズリー・R・グローブズ将軍、良心の呵責に悩むヘンリー・スティムソン陸軍長官、原爆はソ連に対する抑止力になると考えていたジミー・バーンズ国務長官――。記事は「得てして戦時中の政府の行動は、責任者の個人的性格と時の勢いによって決まる」とした上で、当時の指導者にとって「『道徳』は判断基準の1つにすぎず、しかも最も重要な基準ではなかった」と、率直に書いている。

「当時の状況を考えれば、原爆投下の決断はやむを得ないものだった。避けられなかったといえるかもしれない。厳密にいえば、あれは決断と呼べるようなものではなかったからだ。当時の指導者の間で、原爆投下の是非が慎重に論じられた形跡はほとんどない」

興味深いのは、特集が「彼ら（指導者たち）」ではなく「なぜわれわれは原爆を落としたのか」と主体的に問い掛けている点だ。それはおそらく、当時国民の間にあった「戦争疲れ」や日本への懲罰感情が原爆投下を後押ししたこと、そして原爆を称賛した過去を強く自覚していたからだろう。

HIROSHIMA: AUGUST 6, 1945

Newsweek

Why We Did It

1995年7月24日号

「当時の指導者の間で原爆投下の是非が慎重に論じられた形跡はほとんどない」

70

Newsweek January 20, 2015

『ニューズウィーク　日本版』2015年１月20日号

続ける。とても難しい状況の中に、皆さんもこれからずっと生き続けなきゃならない。その中で、日本国という国を、今度は皆さんが運転して操縦していく。そういう時代が目の前に来ている。そのことを考えていただきたいということで、今日の授業は終わりにします。

ヒロシマ・モナムール

司会　立花さん、長時間にわたりありがとうございました。質問がありましたら、お受けしたいと思います。何かありますか。遠慮なく、分からなかったことがあれば、聞いてください。

立花　もともと話そうと思っていたことで、話さなかったことを一つだけ補足的に付け加えましょう。これは今書店に並んでいる本です。『ヒロシマ・モナムール』（マルグリット・デュラス著、工藤庸子訳、二〇一四年、河出書房新社）という本です。この作品の映画のタイトルが、フランス語では『ヒロシマ・モナムール』（一九五九年

映画『二十四時間の情事』（アラン・レネ監督、原題『Hiroshima mon amour』日本・フランス合作映画）

公開）というのです。僕らが一九六〇年にロンドンに行ったときがこの映画が発表された直後にあたります。いささかでも原爆とかそういうものに対して、関心を持つ人は大体この映画を話題にしたんです。この映画から、いろんな話が始まる、議論がいろんな形で交錯して渦巻く。あの時代は必ずそういうふうになったんです。

ところが、日本ではこの映画はほとんど評判になりません。これは日本では『二十四時間の情事』というタイトルになって公開されました。映画の中身自体は変わらないんですよ。アラン・レネというものすごく有名な監督ですから、映画の内容は非常に優れたものです。実はこの映画は、ナチスの戦争犯罪と広島の話が、両方二重になっている。それも男と女の立場から語られて、一つの長い話になる。

あらすじを言えば、女性がフランス人の女優で、広島に来るんです。そこで出会った日本人と束の間の恋に落ちて、二人がベッドトークを延々と交わす。そういう流れの中で話が展開される。原作の小説を書いた人もマルグリット・デュラスというものすごく有名な、おそらく二十世紀最大の小説家といってもいいような人です。この作品が、つい数カ月前に『ヒロシマ・モナムール』として翻訳された。それまでは映画の邦題が『二十四時間の情事』ですから、そのテキストを読もうなんて人は日本に全然いなかったんですが、これは非常に優れた文学作品です。

男が繰り返しいうことは、「君はヒロシマで何も見なかった。何も」と。それに対して、女のほうが、「わたしはすべてを見た。すべてを」と。何度も繰り返される二人のやりとりの中で、今度は彼女の過去という形で、フランスの中で起きたドイツ軍の占領と、ドイツ人の将校とフランス人の少女の恋物語みたいなものが展開される。

ものすごくいろいろ考えさせられる作品です。

その心は何かというと、広島の話は広島だけの話にはとどまらない。ここで出てくるのは、ナチスの軍人とフランス人が通じた場合に起きる社会的なリアクションと、追い詰められる少女の物語です。要するに、いろんなものが錯綜して積み重なっている。そうしたものを見る目を持たないと、本当にリアルな、深い、ことの真相というのは読み取れないということです。

単純にありきたりのフレーズを並べるだけの議論とか対話というのは、そんなに意味があることではない。本音のところをぶつけ合わせるというトークが、こういう問題を語るときには必ず必要なはずなのに、日本ではこと原爆のことになると、表面的なことしかしゃべらない。もうちょっと深いレベルで論じるとどういうことなのか。そういうところを論じていないんじゃないか。それが僕からのもう一つの問題提起です。

記憶を残してゆくために

会場からの質問　質問ですけれども、立花さんは『アサヒグラフ』の写真を見てショックを受けて、そこから始まったといったんですが、被爆者の話を聞いたのはいつでしょうか。それでショックを受けたのだったら、写真を見たときのショックと被爆者の話を聞いたときのショックで違いがあったら、どう違ったかというのを教えてほしいと思います。

立花　今とメディアの状況がものすごく違いますから、当時は被爆者の声が、テレビやラジオによって一般の日本人に届くということはなかったんですね。被爆者にマイクを向けてしゃべってもらったというようなことは、事実上ほとんどなかったと思います。

なので、被爆者の声をどういう形で「聞いた」かというと、それは活字で体験談を「読んだ」といったほうが正確です。それは今でも広島、長崎両方にたくさん資料の形で残されていますね。

視覚メディアと言語メディアというのは、性格がものすごく違います。言葉のメディアは、非常に心情的に深いところに届きます。視覚メディアは一瞬にしてある情報を一まとまりとしてぱっと伝えるけれども、より深いレベルでそれが何を意味するのかを理解するために、データ的な側面などで二重、三重に補填しないと、全体としては良質な情報にはならないと思います。戦争ミュージアム内の書店で資料を探すのもおすすめです。そこには体験談が山積みになっています。

生の声を集めた資料を読んだときに初めて、表面的なものだけでは分からない、より深いレベルの情報が伝わってきます。写真などの映像というのは、言葉のメディアと一緒になって組み合わされないと、十分な伝達力を持たないと思います。

長崎、広島、どちらのミュージアムにも被爆者の生の語りがたくさん収められアーカイブとして残っています。僕はどちらのミュージアムも相当の時間をかけて記録に目を通しました。

でも、それが今、日本人の多くに伝わっているかというと、必ずしもそうではないです。記憶の伝承をどういう形でどういうふうにやるべきなのか。そして、情報伝達の中身、コンテンツをどう構成すれば、歴史のリアリティーをより伝えられるか。そこはとても難しいです。いろんな試みがこれまでもなされてきたし、これからもなされていくと思います。

アウシュビッツでも日本でも起きていることですが、戦後七〇年たって、ほとんどのリアルな体験者が高齢化して、十分に自分の記憶を伝えられない状態になっているんですね。そういう意味で、社会的な記憶装置が間もなく消える。体験者本人の存在が消える。それにどう対応したらいいのかというのは、世界中で大きな問題になっているんですね。そのことを皆さんもどうしたらいいんだという、そこを考えてほしいわけです。

被爆者なき世界のために

会場からの質問　被爆者なき世界のために何ができるか――ということころで、「二重の意味がある」と仰っていたんですけど、一つの意味が少し漠然としていて、もう少し具体的なことを説明していただければと思ったんです。被爆者のない世界が来るということが一つ。もう一つは、この先の世界を被爆者ゼロにするために僕たちに何ができるかという意味でいいんでしょうか。

立花　そういうことです。これから我々の社会をどういうふうにしていけば、再び核戦争が起きないような世の中を作り出すことができるかという問題です。延々と核廃絶に向けて取り組もうとする人がいる一方で、核はどうしても今の社会に必要で、それなしには世界の平和が保てないんだと主張するような人々もいて、そのガチンコの中で世界史が転がってきたという事実があるし、これからもそういう状況は依然として続く。

その中で、イランや北朝鮮のように、自分で独自に核兵器を持って、リアクトしていこうと考える人たちはこれまでも出てきたし、これからもそういう人たちがある程度出てくる可能性がある。さらにはそれが広がって、いわゆる核テロリストみたいなものも出現する可能性もある。ハリウッド映画では、既にそういう輩が出てきて、あわや大惨事といった世界を描く作品もありますね。ハリウッドならフィクションですが、二〇一五年一月、イスラム文化を揶揄した風刺週刊紙『シャルリエブド』のパリ事務所で、編集者や警官らが射殺された事件をはじめとする一連のフランスのテロリズムなどを見ると、そうした未来も我々は考慮に入れなければならない時代に入ったと思います。

吉田茂の自問

僕はこの授業を見ていて、本当に感心しました。すごい授業ですね。日本の大学でこれだけの授業を見たことがないです。（※注　立花氏の講演前に行われた学生同士のディスカッションや発表などについての感想）

ちょっと感情的だと思うので、もうちょっと冷静に話をしますと、僕はこれまで、日本の若い世代に相当ネガティブな印象を持っていました。この国はもうすぐもう一回滅びるのじゃないかとすら思っていたんです。でも、今日は全然そうじゃなくて、この国は特に若い世代がすごいという感じを持ったんですね。

僕は、ある時期までゆとり教育というものをものすごく否定的に捉えて、いろんな形で批判することをいっていました。でも、今日の発表を見ていると、全体として見事というか、これだけの意見を出して、それをいろんな人がうまくまとめる。その全体がすごいです。ゆとり教育の成果が非常にいい形で日本を変えつつあるような気がします。

（※注　会場に笑いが起こる）

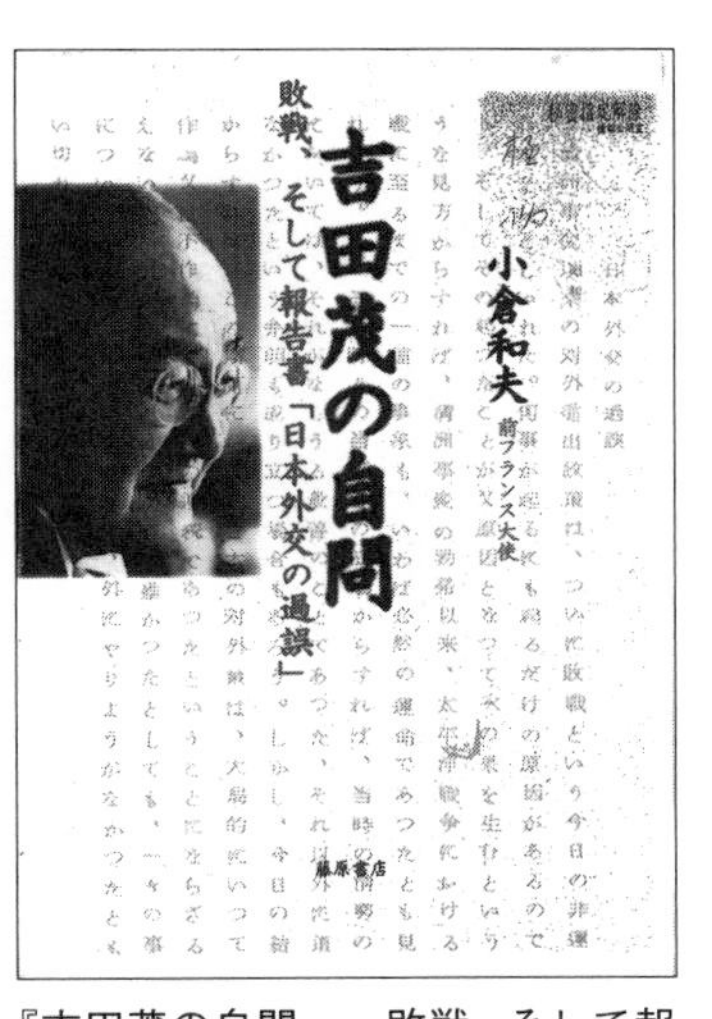

『吉田茂の自問――敗戦、そして報告書「日本外交の過誤」』（小倉和夫、2003年、藤原書店）

笑うけど、前の世代の連中にこれと同じことをやれといわれたら、ほとんどできないです。全然違った形のものになっちゃいます。

『吉田茂の自問――敗戦、そして報告書「日本外交の過誤」』（小倉和夫、二〇〇三年、藤原書店）という本があります。これは非常にいい本です。

あるとき吉田茂が自分の部下に、日本はなぜあの戦争をして、なぜああいう形で負けて、なぜ国が滅びたのかを問う。国が滅びるようなことをさせた日本の外務官僚は、どこで政策を誤ったのか。それを今から再検証して、どこが間違いということを洗い出せと。それを彼の部下の中の非常に優秀な若手官僚に命じるんです。その代わり、過去の外務官僚のどのレベルの誰にでも、自由に質問して、自由に調べろといった。その結果をまとめた幻の報告書「日本外交の過誤」（一九五一年）を紹介、評価したのがこの本なんです。

これを書いた小倉和夫という人は、日本の外交史の上でも有名な人なんですが、このまとめがものすごくいいんです。日本の外交史をずっとさかのぼって、どこにどういう問題があって、なぜあの判断を誤ったのかをまとめるんです。これを読んだ人と読んでいない人で、日本の現代史、特に戦争に至り、そして敗北するあの過程の捉え方が全く違います。これは若い人はぜひ読んでほしいといっておきたい本です。

もう一ついいたいのは、先ほど『文藝春秋 SPECIAL』（二〇一五年冬号）を紹介して、日本が世界で最も豊かであるという国連の調査結果について話をしました（四八ページ)。なぜこんな話をしたのか。今疑問に思っている人がたぶんいると思います。何をいいたいかといえば、要するに、ある意味で日本は本当にこの数十年の世界史の中で、一番成功した国家であり、少なくともこれまでは奇跡のような成功を収めつつある。そういう国だということです。あの戦争に負けたときには、本当にどん底のどん底だったんですよ。そのへんに浮浪児があふれて、国中食うものも何もない。その国が今こうですよ。数値を見れば圧倒しているんです。この背景に何があるかということなんです。

先ほど、日本は七〇年間、戦争をしなかったといいましたけれども、それまで日本は文字どおりの戦争国家だったんです。近代史を振り返ったときに、日本は戦争国家として大成功を収めた国だった。それは日清戦争、日露戦争を考えればすぐ分かります。

日清戦争をした当時、中国は大清帝国といわれていたんですよ。中国は、唐や元など、数百年にわたる世界にまたがる巨大国家を築いた国でしょう。その果てに大清帝国という巨大国家を作った。ところが、それを日本が日清戦争に勝ってひっくり返しちゃったわけです。

日露戦争も同じです。ロシア帝国という、それこそ世界史上有数の巨大国家に、本当に東洋の端っこの歴史上大したことがない、取るに足らない国が戦争で勝っちゃったわけです。

その両方の戦争を通じて、日本は大変な富を獲得します。富を獲得するだけじゃなくて、日本の産業が各方面で大成功を収めます。日本はいろんな意味で富を蓄積するわけです。国際連合の前に国際連盟という巨大組織がありましたが、その時期には、日本は常任理事国的な存在で世界有数の「指導側」になっていたわけです。

第一次大戦が終わった頃は、ほかのヨーロッパの強国の大部分が戦争で疲弊して、経済的にもどん底に落ちました。その中にあって、日本の円はあっという間に世界で最も信用が高い通貨になった。円を持っていれば、世界中で好きなようにいろんなものを買い物できる国家になるわけです。

だから、ある時期までの日本は、日本人全体が戦争国家であることを誇りにして、戦争に強い、これからもどんどん戦争をやって、どんどん戦争に勝とう――といったような意識が蔓延した国になっていたんです。その中で、日本は戦争国家としての勝利の道をさらにどんどん進もうとして、あの戦争に入っていくわけです。

今、日本人は誰もそう思っていないでしょう。日本だけじゃないんです。実際に世界中の戦争の歴史をたどるとわかりますが、戦争で勝てば、戦勝国は一時的にはもうかるんです。めちゃくちゃ成功するんです。そして、勝ち続けている間、もうかっている間は国民は戦争をプラスの方向に評価する。今のアメリカがそうです。あれほどのパワーはあの第二次大戦に勝っただけじゃなくて、戦後の世界経済をドル中心に支配したことによるものです。その延長として今があるのですが、ある意味では、アメリカは国全体としていまだに「戦争国家体制」にあるわけです。

そんな中で、日本を、世界で最も豊かな国とする国際的な調査がある。アメリカを抜いているんです。戦争が終わったときにどん底で、僕はそのときに五歳ですから、毎日食うものもなくて、本当に大変だったんです。ものすごくリアルに知っているわけです。それが今、こういう国を築けたというのは、世界の歴史の中で類がない成功といえると思います。

だから、この後どうなるのか。問題はそこなんです。この成功の最大の背景の一つは、日本が軍備を捨てた。憲法九条を持って、九条を持つがゆえに、そこが微妙なんですが、ある時期までほとんど軍備に金を使わないで来たということなんですね。その後も、特に金がかかる核兵器などには全く見向きもしなかった。実際には一部の政治家は見向きをして、早く日本も核武装すべきだみたいなことを心の中では思った。ないし、発言をした人が若干います。例えば中曽根康弘元首相がそうだし、岸信介元首相はいわないまでも、ほぼそれに等しいことをいっていますし、その流れに連なるような自民党の政治家は、ある程度そう思ってきたんです。だけれども、歴史の事実として、第二次大戦後、日本はほとんど軍備に金を使わなかった。

人材をどこに振り向けるかということが、その国の成功を一番左右すると思うのですが、要するに、日本の主たる人的資源を軍備や軍事技術に向けないで来たというのが、日本の成功の一番の背景だと僕は思っています。

でも、最近そうじゃないという意見、そういう流れができて、違う方向に流れつつある。歴史というのはその時代の人々の意見の集合として決まってくるわけです。常に歴史は動いて、その方向はまだ分かりません。ですけれども、今日の皆さんの発表を聞いていると、むしろいい方向にどんどん向かうんじゃないかという気がしてきました。

日本人の侵略と引揚げ体験

赤い屍体と黒い屍体

初出　『潮』一九七一年八月号

〝乗り遅れ〟と一家離散

飢えを満たすには、いつも足りないコーリャンの飯。空腹に耐えかねて、石鹸を食べてしまって大人を大騒ぎさせる子。と思うと、船底でひっそりと死んでいった赤ん坊……。

引揚げは、私にとって、他人の体験ではない。私も中国からの引揚げ者である。当時、私は五歳、そろそろ物心のついてきたころだから、あの突然の激しい環境の変化を記憶にとどめておかぬはずがない。もちろん、大人の経験とちがって、連続した記憶としてもっているわけではないが、随所に数カットずつ鮮明におぼえている場面があって、それは、私の人格を形づくるうえで、きっと何らかの役割を果たしているにちがいない。

たとえば、いまでも〝乗り遅れ〟ということばが、私にとって特殊な意味を持っているのは、この引揚げ体験のせいである。

引揚げというのは、自分の運命を知らない誰かにあやつられているようなもので、その情況を最もよく象徴しているのが引揚げ列車だった。

たいていは、無蓋の貨車を転用した引揚げ車は、原っぱのまん中に停車したかと思うと、とつぜん、何のまえぶれもなく発車するのだ。そのたびに、原っぱに置きざりにされる者が出て「あ、こんどは誰々さんが乗り遅れた」と、残った者はいうのだった。「バスに乗り遅れる」などという余裕のある表現ではなく〝乗り遅れ〟という一語で、一家の離散が簡単に進行していくのである。

この号に掲載される百人の人々の引揚げ体験も、おそらく、そういう拭い去りがたい記憶の集大成であって、それは書いた人だけの体験なのではなく、私自身の体験であり、あるいは私の両親の体験であり、私の知人たちの体験であるにちがいない。

引揚げにかぎらず、こういう記憶を掘り返して再確認しようという努力は、戦後二十数年間に何度も繰り返し行なわれてきた。私も、自分が引揚げ者であるということから、その種の体験を、これまでにも幾つか読んだことがある。それらに記録されている事実は、私の場合と比べたら比較にならないほど悲惨で、不幸なものが多いことは確かである。目をおおいたくなるほど残酷な報告も、ままあった。しかし、そうしたものを読んでその悲惨さに胸を痛めると同時に、なぜか、一方では、どこか腹立たしい気持ちをおぼえるのも事実だった。

どこかおかしいという不満感。それはちょうど、三、四年前に引揚げ団体が圧力団体となって、国から補償金をせびりとったことがあったが、そのときに感じた腹立たしさに通じるものがある。その運動は、たしか、海外に放棄してきた資産の補償を国がすべきだという趣旨のもので、おそらく、この私にも、なにがしかの金をもらう権利があるかもしれず、もしかしたら私の知らないうちに、私の両親がそれをもらっているということもあるかもしれないが、いずれにしても、どことなくうすぎたない、腹の立つ話であることには変わりない。

二つの屍体が語る終戦

引揚げ者にまつわる、この何となくうさんくさい感じを、長いあいだ私はうまく説明のつかないままに腹の底にくすぶらせていたが、この腹立たしさに、はじめて、はっきりした形を与えることができたのは、シベリア画家として有名な香月泰男のあの感動的な抑留体験記『私のシベリヤ』の中の「赤い屍体」の話を読んだときだった。

少し長くなるが引用してみよう。

「奉天を出てしばらくいった所で、線路のわきに屍体が転がっているのを見た。満人たちの私刑を受けた日本人にちがいない。衣服を剝ぎとられた上、皮を剝がれていたらしい。列車が通りすぎるほんの短い時間に、はっきり確かめることは不可能だったが、そうとしか思えない。皮膚とすれば、あまりにも色が異常だった。全体が乾燥してちぢみあがったような感じで、赤茶色をしていた。その上、赤い絵具でボディペインティングでもしたかのように、たて縞模様が全身に走っていた。それは確かに、解剖学の教科書にのっている、人間の筋肉を示す図そのままだった。……

日本に帰ってきてから、広島の原爆で真黒焦げになって転がっている屍体の写真を見た。そのとき私の頭に、満州で見た、私刑にあい皮を剝がれた赤い屍体が浮び、赤と黒の二つの屍体は頭の中で重なり合ってくるのだった。一九四五年をあの二つの屍体が語りつくしている。

戦後二十年間、黒い屍体は語りつがれ、語りつくされてきた。ヒロシマはアウシュヴィッツとならぶ大戦の二つの象徴となった。それは戦争一般が持つ残虐性の象徴としての無辜(むこ)の民の死だった。

黒い屍体によって、日本人は戦争の被害者意識を持つことができた。みんなが口をそろえて、ノーモア・ヒロシマを叫んだ。まるで原爆以外の戦争はなかったみたいだ、と私は思った。

赤い屍体は、加害者の死としての一九四五年だった。……

私には、まだどうもよくわからない。あの赤い屍体について、どう語ればいいのだろう。赤い屍体の責任は誰がどうとればよいのか。再び赤い屍体を生みださないためにはどうすればよいのか。……

だが少なくとも、これだけのことはいえる。戦争の本質への深い洞察も、真の反戦運動も、黒い屍体からではなく、赤い屍体から生まれ出なければならない」

原体験の腹立たしさ

そうなのだ。私の腹立たしい思いも、この点にあったのである。引揚げのつらさを訴える記録の大部分は、それによって少しでも、平和の実現に資したいという意志によってつらぬかれているものではあろう。しかし、はっきりいってしまえば、戦中派の好んで語る、こういう被害者意識のうえに、たとえられた反戦平和論は〝原体験〟などということばで、もっともらしくよそおわれた一種の体験フェティシズムでしかない。その、おのれの不幸に酔ったような、いい気な平和祈願の腰つきが私を腹立たしい思いにさせているのだ。一言でいえば、彼らは黒い屍体を僭称した赤い屍体なのだ。

彼らがとくとくとして、その〝原体験〟なるものを語るとき、みずからのいやらしさと矛盾に気づくことはないのだろうか。というのは、そういう連中は、別の場所では、好んで、アジアの人民の連帯とか、日中の国交回復とかについて美しい話をするものだからである。しかし、彼らが後生大事にしているその〝原体験〟自体が、当のアジアの人民や中国人にとって、どういう意味をもつものであるかは、とんと考えてみたことがないらしい。口先ではそんなことは、とっくに心得ているような調子でいても、実は何もわかっていないのである。彼らの甘ったれた立場を浮き出すためには、次の記録を読んでもらうのがいいだろう。

「何百台もの自動車が路上に置きざりにされたまま、商店はほとんど戸口を閉ざしている。人びとは、家具、衣類、調度の一切を残して、家やアパートから逃げてしまったのだ。これまでのところ、まだ集団略奪の報告は入ってないが、郊外の家々では侵入を受け始めているということである」

「このレオポルドビルで最大の疑問は、かつては二万人もいた白人が、今では四千人も残っていないということである。残っているのは大部分男ばかり。市内には白人女性はもう数人もいないのではないか」

これは、一九六〇年のベルギー領コンゴの独立と、それに引き続く内戦の時期に、現地に入ったアメリカ人記者の報告である（『USニューズ&ワールド・レポート』）。この混乱のなかで、ベルギー人を中心とする白人たちが、どのように悲惨な引揚げを強制されたか、「アフリカ最大の残虐行為」と題する、その報告に耳を傾けてみよう。

ベルギー人の悲惨

「あるベルギー人の医者夫妻は、三百五十人から四百人もの白人女性にペニシリンを注射してやったということである。みんな（コンゴ人の）兵隊に犯されて、梅毒になるのを恐れたからである。とにかく、強姦された患者ばかりで、正確な数も忘れたほどだという。中には、母親と、十一歳と八歳の娘も含まれていて、その三人は二十四時間ものあいだ、繰り返し強姦されたのだった。

フランス人の医者のところへ来たベルギー人官吏の妻二人は、キサンツの町で十二人の兵隊に強姦されていた。

犠牲者の中にはバプチスト派の宣教にきていたアメリカ女性もまじっていた。一人は宣教師の妻であり、もう一人は未婚の看護婦である。二人とも米軍ヘリコプターでコンゴを脱出した」

「ベルギー人の医師団がレオポルドビルの空港に難民のための診療所を開いたが、その女医は次のように話していた——

『見渡すばかり女の人ばかりで、足の踏み場もないほどなので、強姦された人は一列に並んで下さいと叫びますと、どうでしょう、一度に二百人もの人が並ぶのですよ。彼女たちの話を聞いていると、あなたは何回犯されたの？　なんて話しているのですからね。どうも、私のみるところ、この空港に来た女性のうちの、四人に一人は強姦されているようですよ』」

「コンゴの中でも最も極悪非道な町はサイスビルである。ここには三千人の黒人部隊と、わずか数百人のベルギー人将校とその家族しかいないからだ。この町の白人女性の大多数は強姦され、中には十回から十二回も犯されたものもいるという。

前にいった母娘三人も、このサイスビルの出である。母親は夫や娘とともに、レオポルドビルの白人部隊の保護下に送られる輸送車の最後の一つに乗りこんだのだった。

　ところが、アフリカ人暴徒が町のはずれで、この一家を捕えて、二十四時間投獄した。その間、母と娘は数度にわたって強姦され、夫は無残にも殴り倒されていたのだった。

『まったく、頭のてっぺんから足の先まで、傷のかたまりでしたよ』と、この家族をレオポルドビル空港で診察した医者はいった。二人の子供は、ベルギーに向けて飛び立つまでの十時間というもの、診療所にすわったきりだった。歩くことも口をきくこともできず、人にかつがれてやっと飛行機に乗りこんだ。この試練によって受けた肉体的、心理的ダメージは、一生消え去ることがないだろうと医者は語っていた」

　もうこれくらいでいいだろう。「残虐行為」とは、つまり原住民アフリカ〝黒人〟の行為なのであって、そのむごたらしさを列挙していくと、きりがないといいたげな勢いである。そして、これをレポートしている記者の、ヒューマニズムに根ざした、悲憤慷慨（ひふんこうがい）のタッチは、どことなく、日本の戦争の悲劇のレポーターのタッチを思い起こさせるではないか。こんなにつらい目にあわなければならないなんて、なんてひどい運命なのだろうという嘆きが、どちらにも底流としてあるからだ。

悲劇への甘え

しかし、おそらくたいていの人は、コンゴのこのルポと、日本の引揚げ哀史とでは、ちがった印象をもつはずである。トーンは同じだが、受けとり方が違ってくる。私自身の印象を正直にいえば、コンゴにおけるベルギー人の苦難は、確かに悲劇にちがいないし、むごたらしいものではあると思うけれども、心の片隅では、ザマアミロという気持ちがあるのを隠すわけにはいかないのである。それは、事態がここまでにいたるまでの、コンゴにおけるベルギー人の植民地支配の苛酷な現実を、私が知っていたからだ。

アフリカを支配した列強のなかでは、比較的穏和な政策をとっていたといわれるベルギーではあるが、その五十二年の統治のあいだ、毎年二億ドルもの収奪をつづけていたのである。その土地はことごとく、ベルギー王の所有ということになっていた。

原住民は二世代にわたって人間の扱いを受けず、もし、コンゴ人の有能なレポーターがいれば、ベルギー人引揚げ哀史を顔色なからしめるような分厚い悲劇の歴史を書くことができたはずである。

この事情は、ひとつコンゴに限ったことではない。ついこの間までは、地球の大部分がこの理不尽な支配によっておおわれていたのである。

十六世紀いらい、彼らヨーロッパ人は、原住民を迫害し、その資源を奪い、奴隷同様にこき使ってきた。現在のヨーロッパの文明は、すべてこれら植民地の搾取のうえに築かれてきたのである。

こんなことは、何もいまさら私がいうほどのこともない事実であろう。高等学校で世界史を学べば、誰もがイヤというほど教わる史実にすぎない。だから、このコンゴ動乱のルポを読んで、ザマアミロという気持ちを抱かずにはいられないのである。

ところが、わが日本の引揚げ哀史作家たちには、そこのところがどうも理解できないらしい。戦中派が、その体験記のなかで、悲劇愛好趣味にひたって大げさなゼスチュアをすればするほど、それを読んでザマアミロという気持ちをもつ人々が無数にいるのだということを、彼らは気がついていないらしい。

他人の場合には、ザマアミロという事情がわかっていても、自分に関しては、それとはちがうと思っているのだろう。私の苦しみはもっと深く、もっと人類の平和に資するものなのです、といいたいらしい。が、甘ったれてはいけない。引揚げの悲劇などというものは、原住民の目から見れば、植民地崩壊にまつわるありふれたエピソードにすぎないのである。

引揚げ必至の醜い日本人

一九五〇年にインドネシアが独立し、オランダ系の住民は追い出された。当時のグラフ雑誌の写真に見る、船上のその不安気な表情は、日本人のものとまるっきり同じである。一九六二年七月一日のアルジェリア独立の前後には、毎日八千人もの引揚げ者が、テロの恐怖にさらされながら、地中海を渡ってマルセイユに殺到してきた。

毎日八百台にものぼる新来の車が、町中にクラクションをがなりたてるし、ホテルは満員、学校は引揚げ者の子弟でパンク寸前。大人の多くは職がなくて、なかには犯罪に走る者も出てくるという始末で、パニック寸前の状態であったらしい。

アルジェリアにつづいて、それ以降、アフリカの各地で続々と独立国が生まれるわけだが、その独立のどのひとつをとってみても、大なり小なり、引揚げという事件を伴わなかったものはないにちがいない。そして、そのどの場合にも、引揚げをさせられる当人にとってみれば、何とも忿懣やるかたない、嘆かわしいかぎりであったろう。

アルジェリア独立に際して〝アルジェリアはフランスのもの〟と叫んで、テロで対抗したOASという組織があった。

多くの人がOASの論理を笑った。加害者が被害者を僭称しようとしたからである。だが、その同じ人たちが、戦後の日本にあふれている戦争悲劇のうんざりするほど同じタッチのレポートを愛読することをやめない。それはほとんど例外なく、黒い屍体を僭称した赤い屍体のレポートである。

香月泰男はこうつづけている。

「あのとき満鉄の線路のそばに転がっていた屍体。そのものの素性は知らない。あるいは、その男も王道楽土建設の幻想にあざむかれて、満州開拓にやってきた貧農の息子かなにかで、彼自身戦争の被害者だったといえるような男かもしれない。しかし、それでもやはり私の眼には、それは加害者のあがなわされた死として映った。……

この戦争で無数の赤い屍体が出た。私たちシベリア抑留者も、いってみれば生きながら赤い屍体にさせられたのだ。

私には、まだどうもよくわからない。あの赤い屍体について、どう語ればいいのだろう。赤い屍体の責任は誰がどうとればよいのか。再び赤い屍体を生みださないためにはどうすればよいのか。私は何をすればよいのか」

正直な香月泰男は、無言のうちに赤い屍体をカンバスに描くことを選んだ。その他おおぜいの口達者な日本人たちは、われもわれもと、被害者としての戦争体験を声高に語って、悲劇のヒーロー・ヒロインであるかのごとくよそおった。

まるで、スケイプ・ゴートにされた戦犯以外には、加害者がいなかったかのごとくである。

私たち戦後世代の人間が、戦争を体験した人々から聞きたいのは、いかに戦争の被害を受けたかではなく、いかに戦争の加害者となり、いかに植民地の醜い支配者を演じてきたかという話なのだ。

それが語られないかぎり、私たちの未来にあるもう一つの引揚げの悲劇を逃れることはできないだろう。ちょうど、キューバからの引揚げに学ぶことができなかったアメリカ人が、間もなくベトナムから引揚げを余儀なくされたであろうように。

日本人の未来の引揚げは、このままいけばほとんど確実に招来されそうである。東南アジアでの〝醜い日本人〟の命名は、すでに先輩の〝醜いアメリカ人〟に匹敵するものになりつつある。

七〇年のわが国の海外直接投資は約二十五億ドルで、イギリスの百二十億ドル、アメリカの七百億ドルにはまだ遠くおよばないが、国際収支の黒字がたまりすぎているから、もっと海外投資をすべきだという声もあり、年々急速にのびているのが事実だ。海外諸国における在留邦人の数も、約百万人の日系人を除いて、三十万人ちかくにのぼっている。

過去の引揚げ体験は、たんなる回顧趣味を満足させることを目的としないなら、こ

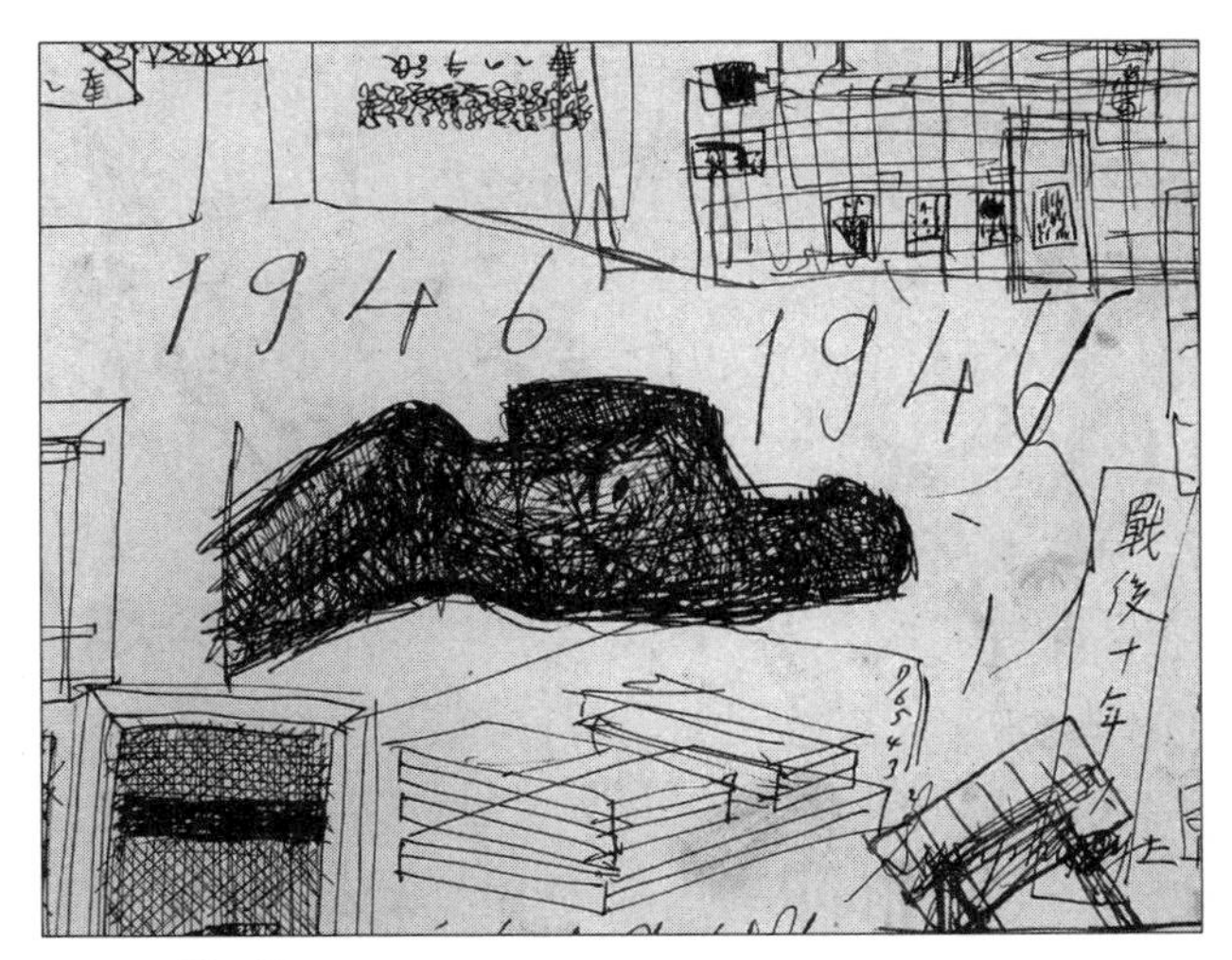

1945のデッサン 1

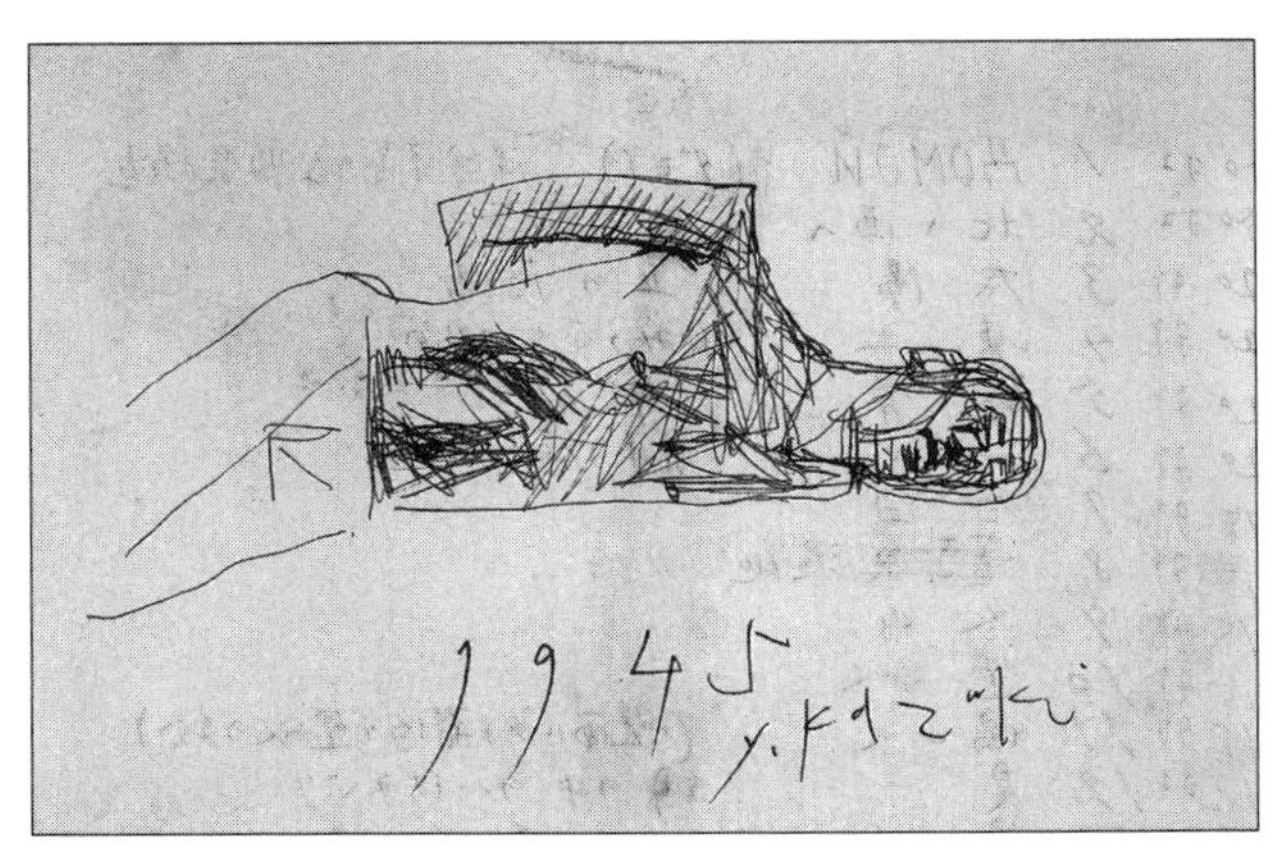

1945のデッサン 2

香月泰男の作品から

の三十万人の日本人の未来に待っているかもしれない、もう一つの引揚げと結びつけて語られねばなるまい。

※本文中、今日の人権意識に照らして不適切な語句や表現などが見受けられますが、著者が故人であること、執筆当時の時代背景に鑑みて、当時のままとしました。

「デジタル・ミュージアム　戦争の記憶」構想

※二〇一〇年五月二十八日、都内で開かれた立花ゼミ生主催の古希のお祝いのスピーチの音声おこしをもとに、立花事務所の許可を得て、編集部が一部、補って文章を作成しています。

思い切って実行すれば、宇宙をかき乱せるかもしれない

「宇宙をかき乱せるか」

これそのものは宇宙とは何の関係もない、T・S・エリオット「J・アルフレッド・プルーフロックの恋歌」の詩です。中年の男が、ある女性に惚れて、その恋心を伝えようか、伝えまいか、心がものすごくゆれ動いて、まさに彼にとっては自分の恋心を告白するということが、宇宙をかき乱すぐらい大きなことなんですが、それは他人には全く関係ないことです。

要するに、人間には思い切ってこれをすれば宇宙をかき乱せるぐらい大きな意味を

持つ行為というものがあるわけで、その決心というのは大体一分間なんです。一分の決断が、全てをかき乱すようなことになる。全ての人の人生にはそういう瞬間があるはずだという有名な詩です。この詩をなぜ引用したかは、後で説明します。

レジメに「戦争時代の最終キッズ世代」が「ポスト・コールドウォー・キッズ」と共に作る「デジタル・ミュージアム　戦争の記憶」と書いておきました。「戦争時代の最終キッズ世代」とは、僕らの世代のことです。あの戦争が終わるときに子どもであった世代というのは、僕らなんです。僕が終戦時五歳です。僕の兄貴が数歳上で、小学校の低学年です。大江健三郎さんなんかだともうちょっと上で十数歳ということになります。

ここに書いてある「デジタル・ミュージアム　戦争の記憶」というのは、今、立教大学のゼミで進めている企画です。今、戦争の記憶というのが急速にこの社会から失われている。リアルに戦争の記憶を持っている人たちがどんどんいなくなっているわけです。間もなく、あっという間に、誰一人いなくなります。そういう時代を前にして、「戦争時代の最終キッズ世代」としての我々が、何とかそれを残して、それを

「ポスト・コールドウォー・キッズ」に伝えたい。そういう意味です。

ミュージアムの設計は、安藤忠雄さん
案内人は、大江健三郎さん、ギュンター・グラス氏とともに

あの戦争の記憶そのものは、世界中にいろんな形で、特にミュージアムのコンテンツとして残っています。日本でいえば、広島・長崎のミュージアムのコンテンツであり、ドイツというかポーランドに行けば、アウシュビッツがある。中国に行けば、南京のミュージアム（侵華日軍南京大屠殺遭難同胞紀念館）がある。

そういう戦争の記憶を保存する世界各地にあるミュージアムを、今日本で非常に発達しているバーチャル・リアリティー（VR）の技術を使えば、リアルタイムで「体験」できるようになります。

僕はVRの世界にものすごく詳しい。というか、僕が東京大学で最初のゼミを持った頃は、東大の先端科学技術研究センターにいたわけですが、あの頃そういう技術がどんどん発達していった。

一九九六年に、日本バーチャル・リアリティー学会が発足されるのですが、最初の創立総会に僕が出て、基調演説もしました。なので、その分野の関係者の人たちとは非常に親しいのです。

この構想を実現するべく僕が考えたフォーメーションがこちらです（一〇七ページ）。設計として名前がある安藤忠雄というのは、東大の有名な建築家の先生です。安藤さんと僕は特に親しい関係にあります。

案内人、大江健三郎、ギュンター・グラス、僕とありますけれども、これは今既にあるリアルなミュージアムに、「ポスト・コールドウォー・キッズ」を連れて、「戦争最終世代」の我々、大江さんなどが案内する。ポスト・コールドウォー・キッズがいろんなことを感じるものを含めて、そのまま映像化してVRのコンテンツにしちゃう。そういうことを今考えています。

大江さんには、既にそういう案内人をやってもらうということを頼んでおりまして、安藤さんにも、そういうミュージアムづくりの設計を頼んであります。これは立教大

「ヒロシマ ナガサキ アウシュビッツ 南京」VR同時体験館 構想

【設計】 **安藤忠雄**

【技術開発】 **廣瀬通孝**
（東京大学情報理工学系研究科教授）

【案内】 **大江健三郎**
ギュンター・グラス
立花 隆 ……他

学大学院21世紀社会デザイン研究科のゼミのプロジェクトの一つにしています。学生たちは最初は全く信じていなかったんですが、少なくとも多くは信じていなかったんですが、僕は、これは絶対にできるはずだと思っています。その一環として、学生は今実際に戦争の記憶の掘り起こしに着手しています。VRを使った本格的なミュージアム構想はまだもうちょっと先なんですが、まずはインターネット上に戦争の記憶というサイトをつくろうと取り組んでいるわけです。

それをつくらせる主体としては、ユネスコが一番いいだろうけれども、ユネスコに金がないから、日本が出資するのが望ましいですね。日本のVR技術を世界にPRするという意味で、日本の政府が金を出して、国際プロジェクトとして立ち上げるべきだ。そういうプランを考えて、今始めつつあります。

繰り返しますが、あの戦争時代をリアルに知っている人は、急速にいなくなっていきます。そんな折、立教大学では三年前からセカンドステージというコースができました。そこの学生には僕よりはるかに年長の方がいらっしゃいまして、最年長の方は八十数歳です。あの戦争の時代には帝国女子専門学校にいらした。そういう方です。

（※注　立教セカンドステージ大学〔RSSC〕は、二〇〇八年四月に立教大学が五十歳以上のシニアのために創設した学びの「場」。人文学的教養の修得を基礎とし、「学び直し」「再チャレンジ」「異世代共学」を目的としている）

そうした戦争の記憶がある人たちの話を聞こうと、既に立教のゼミで第一回目のヒアリングをやっています。こういうヒアリングをどんどん進めていく。そういうコンテンツを最初は小さなサイトという形で記録として残していき、その延長上でこの壮大な計画、デジタル・ミュージアム構想を本当に実現したいと思っています。それはほとんどまさに「宇宙をかき乱す」みたいなことです。そんなこと本当にできるのか。まだそういう段階にあることではありますけれども、いずれ実現したいと思います。

自分が乗っている宇宙船がもしも事故に遭ったら

僕はがんになって三年で、あとどのくらい生きられるか分かりませんけれども、あと何年かすると、どこかでバタンと死ぬんでしょう。そういうことを考えたときに、何をどこまでできるのか分かりません。

そこで思い出すのが、ここに書いてある向井千秋さんにインタビューしたときのことです。彼女がまさに宇宙に飛び立つ寸前のときにインタビューしたんです。

スペースシャトルの大事故が起きた後でしたが、「こうした大事故が起きたらどうします?」と聞いたんです。普通はそういうことを聞いちゃいけないルールになっているらしいんですが、彼女はちゃんと答えてくれまして。何かの事故が起きたら無我

向井千秋さんの言葉

――宇宙飛行中、アクシデントが起きたら?

**「無我夢中で
可能な対応策を
せいいっぱいやりつづける
だけでしょう」**

夢中で可能な対応策をとり続ける。でも、大体そのうちに時間が尽きて死ぬでしょうみたいなことをいっていました。

結局人間みんなそうだろうと思います。必ずどこかで死ぬわけでして、その過程で無我夢中でいろんなことをやっているうちに、大体宇宙船が落っこちるみたいにして、人間は死ぬんだろうと思います。

そういうふうに考えていたときに思い出したのが、アポロ13号のことです。アポロ13号は、アメリカが三度目の有人月飛行を目指して一九七〇年に打ち上げられました。ところが、途中の事故でミッションが中止になって、その後にも数多くの危機的状況

アポロ13号 キャプコム
ジーン・クランツの言葉

——だがそれにしても、これは考えられない事故だった。
二つあった酸素タンクが二つともだめになり、
三つあった燃料電池の二つがだめになり、
二つあった電力供給ラインの一つが死んでしまったのだ。
（『アポロ13号 奇跡の生還』訳者「まえがき」より）

"Let's everybody keep cool.
Let's solve the problem."

に見舞われながらも、最終的には乗組員全員が無事に地球へ帰還した。後に映画にもなっていますけれども、あの中で、大事故の最中に一貫して地上で対応策を提案し続けるキャプコムという役割を果たした人がいた。それがジーン・クランツという人物です。アポロ13号の中では考えられないようなことが次々に起こって、ほとんどの人が絶望する。その中で、このジーン・クランツという人物が、ミッションコントロールチームを指揮して13号を地球まで戻す、という大変な計画をちゃんと実行したわけです。

まさに危機的な事態が起きたときに、彼

がヒューストンの現場でいった言葉がこれなんです。

Let's everybody keep cool. Let's solve the problem.

そういう大事故のときはそれしかないわけです。頭をクールにして、とにかく目の前にある問題解決をやり続けるしかない。それは向井さんのいったことと全く同じことで、我々は誰もがそのうちに死ぬという運命にあるわけです。だから、これしかないというようなことで、最後にこれを書きました。

ということで、古希にあたっての感想というのはこの言葉です。

第二部　世界はどこへ行くのか

〈対談〉

大江健三郎×立花　隆

大江健三郎（おおえけんざぶろう）

一九三五年一月、愛媛県喜多郡内子町（旧大瀬村）生まれ。東京大学フランス文学科在学中の一九五七年に「奇妙な仕事」で東大五月祭賞を受賞する。さらに在学中の五八年、当時最年少の二十三歳で「飼育」にて芥川賞、六四年『個人的な体験』で新潮文学賞、六七年『万延元年のフットボール』で谷崎賞、七三年『洪水はわが魂に及び』で野間文芸賞、八三年『「雨の木」（レイン・ツリー）を聴く女たち』で読売文学賞、『新しい人よ眼ざめよ』で大佛賞、八四年「河馬に嚙まれる」で川端賞、九〇年『人生の親戚』で伊藤整文学賞をそれぞれ受賞。九四年ノーベル文学賞を受賞した。

※第二部は、ソビエト連邦崩壊直後の一九九一年十二月に、NHK「21世紀への思索」等の番組制作を前提に大江健三郎氏の山荘で二日間にわたって行われた対談の一部を文字に起こしたものです。

ソ連崩壊

大江　激動の一九九一年でした。

立花　この一年というと、本当にだれも予想しなかったような大変動が。特にソビエト連邦がなくなっちゃうといった、あんな大激変が起こるなんてだれも予想していなかったですね。

大江　どういうんでしょう。こういうふうに世界中の経済や政治の分析が進んでいて、情報も十分に収集されている。それにもかかわらず、東ヨーロッパの変化、ソビエトの変化、そして起こるかもしれない中国の変化というようなことが、予測できないものなんでしょうか。専門家にも。

立花　それはできないですよ。世界中の専門家が全員間違っているんじゃないですか、この数年間というのは。当事者にしたって、まさかこんなことになるとは思わなくて。

こういうものすごい変化の速さを見ると、僕は過冷却現象ということを思い出すんです。水の温度をどんどん下げていくでしょう。そうすると、必ずしも零度になっても凍らないいんですね。もっとどんどん下がっちゃうんです。突然そこに、たとえば外の池だと、木の葉が一枚、水面に落ちた途端に、一挙に氷がばりばりっと張るような、そういう現象があるんですよね。僕は、それと同じように、あの東側の社会は、本当は零度で凍らなきゃいけない状態のものが過冷却状態になっていたから、ちょっと刺激が加わった途端に、だれも予想しなかったようなスピードで、ああいう大変革というのが拡がったのではないかという気がするんですね。

大江　僕は、ごく若いころから何度かソビエト、ロシアに行くことがありました。一番最初は二十六歳で、そのときに会った若い詩人たちに今も活躍している人がいます。アンドレイ・ヴォズネセンスキーとか、エフトゥシェンコなどですが、彼らが必ず正直なことを言う。それから、そのときに会った作家で、アクショーノフのように、アメリカに亡命してしまった作家もいる。

その次に行ったときには、（スターリン批判を続けた作家）ソルジェニーツィンについて聞いてみた。僕たちはソルジェニーツィンを読んでいるけれども、ソビエトの人たちは読んでいないので、非常に詳しく日本語訳を英語に訳しながら読んで聞かせるようなこともしました。

そういうことで、現にソビエトの市民の側で感じている不満とか困難ということは、少しずつ知っていたわけですね。それでいて、こういう動きが起こり得るということを想像しなかった。自分の想像力のなさをつくづく感じます。同時に、それを想像することを自分に禁じていたような力が働いていたように思うんですね。

立花　それはどういうものなんでしょうか。

大江　たとえば、僕は中野重治という小説家を非常に尊敬していました。今も尊敬しています。そのためか、中野さんの前でソビエトの市民、特に若い世代の不満というようなことを言えないような気持ちがあるんですね。日本のソ連識者の中野さんの前では言えない。自分は唯物論者ですらもないと思いますが、政治的にもいろいろな知識を持たない人間で、それでいて中野さんと、中野さんが背後に持っておられるものに対する尊敬がありました。それゆえか、根本的にレーニンの間違いを指摘する側に自分が立つ、ということができないような気持ちが僕にありましたね。それがどうも僕一人じゃない。日本人の、いわゆる知識人の多くの層にあったんじゃないだろうか。それは今になってみれば非常に不思議なものですけれど。

立花　ひとつはやはり戦争中に何か知識人総崩れのような状況になって、完全に日本ファシズムの中に組み敷かれた状態に陥ったからだと思います。獄中何十年というような〝栄光〟を背負って、戦後、共産党の旧指導者たちがあらわれたときに、彼らに対して精神的なコンプレックスみたいなものをみんな持ったのではないかと思います。

日本の戦後がスタートした直後の混乱期に、文化界における進歩的知識人に、ソ連崇拝ないしは共産主義崇拝的なものが生まれ、一時期、かなり強くそちらのほうに引きずられた時期がありましたね。ああいう呪縛というものがずいぶんと長く続いたんじゃないかという気がするんです。

大江　僕自身について言えば、そういう政党の活動、あるいは学生運動などで、マルクス・レーニン主義の人たちと一緒に行動したことがない。にもかかわらず、僕自身にもそういう呪縛というものはあった。そして、今も残り滓があるように感じていますね。

不思議なことですけれど、最近、たとえば、新聞でレーニンという名前が出ていると、ちょっとこわいものを見るような感じで。何か自分が遠方から応援してきた弱い横綱が引退するような感じがしましてね。今、こわごわそれを見ているような感じがします。

同時に、レーニンならレーニンという人の仕事の全体像を、新しい展望で示してくれる評伝のようなものが書かれれば、それを読みたいという気持ちがありますね。加藤周一さんが、マルクス・レーニン主義が具体的に倒れた、しかし、それにかわる世界把握の大きい思想というものはでき上がっていないと思う――という意味のことを書いておられましたけど、僕はそれはそのとおりだと思います。

立花　僕は、そういう壮大な世界把握の思想というようなものが、そもそも成立しないんだということを、むしろこの一貫した事象が示しているんじゃないかと。つまり、そういうものを求める気持ちというのは、何か間違いなんじゃないかという気がしだしているんです。

大江　現在の東欧の変化、あるいはソビエトの変化がなければ突破口はないと、人間が悲痛な叫び声をあげているような小説はずいぶんあったわけです。ソルジェニーツィンがその代表ですね。それから、チェコスロバキアの作家ミラン・クンデラ。あるいはハンガリーの作家や、ポーランドの作家にもいました。今になってみれば、小説の中に予兆のようなものは示されていたという気持ちを持つわけですが、それを先に読み取ることができなかった自分について歯がゆく感じます。

けれど同時に、この一〇年ほどの思想の動きを見てると、今、おっしゃったように、大きい展望でもって世界を一手に把握するというような思想、あるいはイデオロギーはあり得ないということを、それこそ予兆のように示している流れがあったんじゃないかと思うんですね。

「構造主義」とは、そういうものだと思うんですね。構造主義は、現にある物のあり方を説明することは、非常にうまくできると思います。今、僕たちの目の前に見えていない文化についてすらも、僕たちが持っている文化と同じように、予想したり、統合したり、判断したりすることができる。しかし、これからどうなっていくかということを示す思想ではないと思います。

僕たちが、社会主義国家の未来に対して、徹底的な否定を感じなかったということと、感じることを自分に禁じていたということは、歴史には進歩というものがあると考えているからではないでしょうか。

歴史というものは、ともかく上向きに進んでいく、と。キリスト教の終末観のような、あるいはマルクス主義に表現されるように、歴史は線をなして進んでいくという感じだった。

一方、構造主義は、単純に言えば――僕は単純な理解の仕方をしていると思いますが――、線というものはない。平面で見る、あるいは立体模型で見る形で、世界を説明するのが構造主義だったと思うんです。そうしますと、そこには線の進歩がないわけですから、〝逆転〟が可能で、どちらを向くこともあり得るわけです。そういう点で、この二〇〜三〇年間のヨーロッパの思想は、現在の「歴史主義の終わり」ということですね。歴史の終わりということはないと思いますが、歴史主義の終わりということの兆しはあったと言えなくもないと思いますね。

立花　よく左翼の人が「自分たちの運動が正しいのは、歴史の正しい方向に我々の運動が向いているからだ」という表現をしましたよね。それは科学的に証明されているんだ——といったように。僕は、あの陣営の人たちは、科学という言葉を混同して使っているんだと思うんです。つまり自然科学、たとえば、物理法則というのは、日本の物理法則も、アメリカで通用する物理法則も同じですよね。すべての空間で、すべての時間を通して、あらゆる場面で通用する基礎的な法則というものが存在するのが自然科学の世界であるとすれば、社会科学の世界においてそういう法則があるか、時代を超えて通用する法則があるか、あるいは場所を超えて通用する法則があるかというと、ないと思うんです。

社会のダイナミズムというのは、今日の社会と明日の社会で通用する法則は違う。社会は常にダイナミックに発展しているし、また、場所によって違う発展の仕方をする。そういう世界に対して、あたかも自然科学で通用するような法則が存在するというようなことを思ってしまったのが彼らの間違いではないか。本当は全然別の種類のサイエンスなのに、同じ法則で、正しい方向というものは常にあるんだということを考えてね。
特にマルクス主義について言えば、この間改めてびっくりしたんですが、共産党宣言が出たのが一八四八年で、ほぼ一五〇年近い昔なんです。日本で言えば江戸時代です。江戸時代につくられた経済理論が今日の時代に通用するはずはほとんどないというのが常識だろうと思うんですが、ついこの間まで、経済学の一角を占めていたマルクス経済学の人たちは、ほとんどそれを聖典のように思っていた。現在と一五〇年前では、経済目標から何から全部違うわけですよね。その時代につくられた理論を崇めるかのように奉ってしまった。そういう理論のもとに今日の経済を運営しようとしたことが大きな誤りではなかったかという気がしますね。

大江　マルクス・レーニン主義が長く命を保ってきたことの理由のひとつではないかと思うのですが、僕たちは、共産圏の封じ込めというものには反対したいという気持ちがありました。核兵器の問題などを考えてみても、とにかく反共封じ込めイデオロギーに対して、否定的な立場をとりたいという気持ちがありました。
片方に反共封じ込めの大きな勢力があり、そして冷たい戦争が行われて、この冷戦

No. 1.

Chez TACHIBANA シェ・タチバナ原稿用紙

大江健三郎様

立花隆

といっても先に持ちかけながら、私に手が
山積していたために返事が遅れてすみません。
他の仕事はほぼ片づきましたので、これ
からはこちらのことに集中できると思います。
先日お送りいただいたメモには感じです。ご
二人の偶然くらいに思っています。たまたまのですが
取捨選択は自由にと思っていますので、とりあえず
僕の今の関心事とそれについてと

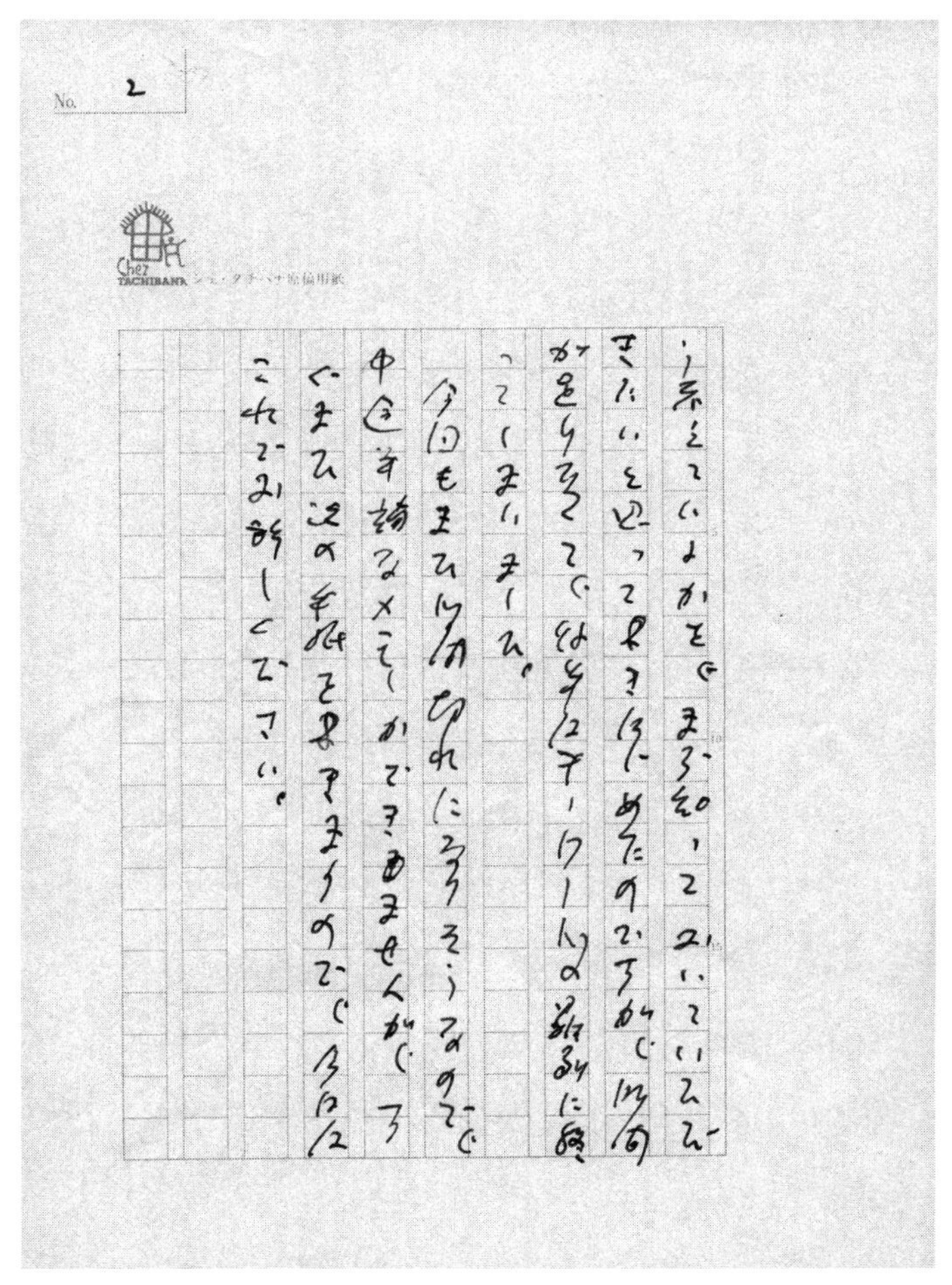

No. 2

Chez TACHIBANA シェ・タチバナ原稿用紙

[illegible]
きたいと思ってとりはじめたのですが、結局
かなり[illegible]に終
ってしまいました。
今回もまたいろいろあれこれにとりまぎれそうなので
中途半端なメモしかできませんが、す
ぐまた次の手紙をお送りしますので、[illegible]
これでお許しください。

対談の準備のために、立花は何度も大江健三郎氏に書簡を送っている

構造があるために、国際的にも国内的にも矛盾がおさえ込まれていたという側面があったと思うんです。

むしろ、国際的な封じ込めがあり、冷戦構造が非常に長く続いたために、ソビエトの市民生活、東欧の市民生活が犠牲にされたということもあると思います。

その点で、第二次世界大戦以後のほぼ五〇年、今まで続いていた大きな冷戦構造が、今言われたようなマルクス・レーニン主義に対する科学的な批判をおさえ込んだということもあると思いますね。そういう時代を生きてきたと思うんです。

冷戦が終わったということは、ここ数年で一番大きな変化で、今度は何が起こるのかということが、僕の今一番大きい不安としてあることなのです。

東西冷戦に覆い隠されていたこと

立花　いろいろな変化がありますよね。ひとつは東も西もお互いに冷戦構造の中で、相手を封じ込めるとともに、自分の側でもいろいろ封じ込めていたものがあるわけですね。それが、今この構造が崩れたために、両側でいろいろ噴き出している。たとえば東側で言えば、ユーゴの中で内戦が起こるとか、ソ連の国家が解体しちゃうとか。冷戦構造がある間は、それぞれの陣営で非常に強い締めつけがあって、きちんとした構造体ができていたのが、たとえば西側でも日米対立とか、米欧対立とか、いろいろな内部矛盾が表出するわけです。両方、重しがとれた途端に、固い構造が一挙に崩れ出したということがひとつあると思いますね。

それと、冷戦構造があれだけ長く続いたということが、我々の世界の見方、物の見方に対して大きな呪縛を持っていた。まるで未来永劫この二大陣営の対立構造が続くのではないかという発想から、保守派も左翼の側も両方がそれを前提にして、自分たちの政策を展開していたでしょう。

冷戦構造が崩れたことで、世界大戦に伴う核戦争の脅威は、今ほとんどなくなったと言っていいと思うんです。まだ多少の偶発的な要因はあるかもしれない。しかし、アメリカ軍まで、戦略空軍のアラート体制を解くようなことも言っているわけです。

こういう変化の中で、大江さんは今どういうふうに考えていらっしゃいますか。

大江　世界の最終戦争としての核戦争、すなわち西と東という対立構造自体がもうなくなってしまったとすれば、ソビエトとアメリカが世界最終戦争を核兵器で戦うということはないと思います。

核の大きな恐怖の重し、核によって世界の動きをすっかり封じ込めてしまうような戦略は確かになくなったけれども、逆に言えば、これまでは核戦争によって世界が滅びる可能性があるので、むしろ核兵器は使えなくなっていた。使えない武器でもって、お互いに脅かしあっている均衡と言いますか、全体が麻痺しているような状態だったのが、それはなくなりました。

しかし、それがなくなったために、かえって小規模な核兵器が使用される危険があると、僕は考えているわけです。それが現実にならないように、核廃絶までの核の管理が今後、非常に重要だと考えております。

世界最終戦争としての核の危機が去り、心が晴れやかになって、自分の小説のテーマがなくなったと感じるかというと、そうではありません。別の大きな世界の危機、人類の危機というものが目の前にぶら下がっていて、単に今まで核という大きい緞帳が目の前にあったために見えなかったものが、かえってはっきり見えるという気持ちがあるんです。ですから、楽観的になって、そのお陰で小説の主題がぼやけてしまったというふうには感じていないんです。

立花　より大きな危機、とは具体的には何ですか。

大江　僕は専門的なことを言う力はありませんが、たとえば、地球全体の環境がはっきり悪い方向に行っている。オゾン層の問題とか、海の汚染、水の汚染の問題も含めまして、地球規模での環境の汚染、環境破壊へと真っすぐに進んでいる。それは、外交交渉によって逆転できないような大きいマイナス方向への転落かもしれない。そうなると、それが小説家にとっても目の前にクローズアップされている危機の問題だと思うわけです。

立花　僕もその認識は全く賛成です。危機の質、ないし規模から言って、今までの核戦争の危機よりはるかに大きな問題が、今の環境問題だと思うんです。

今、大江さんがおっしゃっていたことで、僕とひとつ感じが違うのは、核戦争の脅威があった時代に、大きな恐怖の中で生きている人間とおっしゃった点です。はたしてそんな恐怖を感じていたのだろうかということです。

以前、大江さんが別のコンテクストで、サイキックナミング、心的感覚麻痺という言葉を使っていらっしゃいました。つまりそういう大きな恐怖が常にダモクレスの剣のようにぶら下がっている状況の中で、核の脅威というものに対して無感覚状態になって、その脅威を見ることを拒否して、見ない。そういう心的逃避作用を起こして、本当の恐怖に直接対決しようということがなかったと思うんですね。

目の前にぶら下がっている大きな脅威を見ないという、その態度が環境問題にも持ち越されている。この環境問題の本当の脅威、恐ろしさを見るのを避けている。特に政治家とか、企業家は、まだ問題は先延ばしにできるという感じで、逃げて、逃げて、見ないようにしているという状況です。目の前の巨大な恐怖に対して、見ることを避けるという心的傾向をつくったという意味でも、核の問題は随分大きかったというような気がします。

大江　サイキックナミングという言葉は、アメリカの心理学者で、ロバート・J・リフトンという人がつくった言葉だと思います。ナミングというのは、今、冬ですが、手が凍えてしまうような感触。心理的に精神全体が凍えてしまって、健全な人間の反応を示さなくなる。たとえば、何物に対しても無感覚になってしまう、喜怒哀楽などもない。自分が今陥っている困難を打開することはできないと思って、周りの環境に対して働きかける力を全部失ってしまう。

たとえば原爆というショックは被爆者たちにそういう心的な状態をもたらしたというわけですね。もちろん、そこから時を介して次第に回復していく。たとえば、被爆者の若者が立ち直り、結婚して、新しい生命を生んでいくということは、サイキックナミングからの回復だと思うんですね。

もう終わろうとしている二十世紀に、サイキックナミングを起こすような、幾つかのシンボリックな事件があったと思うんです。ひとつは明らかに原爆です。もうひとつはヨーロッパにおけるナチスの強制収容所で、アウシュビッツのガス室でたくさんの人が殺されたということ。それからソルジェニーツィンがずっと書いてきたスターリン体制の中で数多くの人たちがシベリアで殺されたということも入るかもしれません。

ですから、ソビエトで今起こっていることは、スターリン体制の下でのサイキックナミングから回復した人たちが、希望に向かっているところ——ということが言えるかもしれない。もちろん、経済的な行き詰まりという大きなマイナス要因があって、今の状態が生まれたということもありますけれども。

そうしますと、世界が滅びるかもしれない、人間が人間らしさを全く失ってしまうかもしれないということを示す大きい指標として、広島があり、そして、アウシュビッツがあったと思うわけです。世界では核保有体制がどんどん増大していく。いつまた広島の悲劇が人類の現実になるかもわからない。こういう体制はもう後戻りできないのではないか、という意味での心理的なナミング、凍える状態は確かにあったと思いますね。

ところが今、核兵器というものは押し戻せる可能性が出てきた。そうすると、世界的な環境の悪化のように、押し戻すことができないかもしれないものがぶら下がれば、立花さんがおっしゃったように、核兵器の巨大化によって始まった全世界的なナミングの状態は、今度は環境問題を通じて、もっと重く僕たちの上にのしかかっていると言わなくてはならないのかもしれませんね。

立花　たとえば冷戦期に、米ソ両国が何度も会議を開き、お互いに核軍縮をしようと、何十年も議論したにもかかわらず、ほとんど何もできないできてしまったわけですね。あれと同じことを環境問題においても繰り返し、お互いに議論ばかり続けて実効性がある措置が何もとられないとなると、環境の危機はどんどん進行するでしょう。本当に取り返しのつかない時点を超えてしまうということが、僕はあるような気がするんです。

特に最近のニュースで恐かったのは、フロンによるオゾン・ホールの問題です。今盛んに話題になっていますが、オゾン・ホールは、南極の上空にできるわけです。あれが季節によって、大きくなったり、小さくなったり、あるいは消えちゃったりするわけですが、大きくなると、南極に一番近い町のあたりでは、紫外線がオゾンで遮られないために、家畜の目が失明したり、人間でもかなり目をやられて、常にサングラスをかけて歩かねばならないような状態が起きているという。これは本当に恐怖だと思うんですね。皮膚がんが総人口のうちの何%とか、そういうことを聞かされると、自分はその一%か二%には入らないだろうと、多くの人はその危機感を無視してしまうけれど、今まであった現象と全く違う、リアルなそうした危機が出てきたというのは大変なことだと思いますね。

大江　ソ連、アメリカ、イギリスの間で、空中の核実験を停止しようとする運動があって、条約が結ばれましたね（一九六三年、部分的核実験停止条約）。ところが、地下の核実験については禁止しなかった。もしあのときに、あれだけの大きな会議が行われて、地下における核実験も廃止していれば、それから十何年に及ぶ、非常に恐ろしい核の脅威はストップできたかもしれない。

環境問題についても、ここでストップしておけば、あのときにストップしておけばよかった――という分岐点のようなところをどんどん通り過ぎているのかもしれませんね。

立花　核の脅威だと、核戦争は起こるか、起こらないかのどちらかであって、起こらない限りは心理的脅威にとどまっている。そして、これまで実際には起こらなかったわけですね。

ところが環境問題は、起こるか起こらないかではなくて、ずっと瀰漫的に進行形で続いている問題で、どこかでストップをかけない限り、量的にただ増大の一途をたどる。常に進行形だからサイキックナミングというか、そのことに関して無感覚になるということが起きちゃうんじゃないかという気がしますね。

大江 歴史には大きな転換点というものがあります。今も非常に大激動の時代で、現在が転換点だという言い方もありますね。

立花 僕は今は大きなタイム・スケールの転換点だと思うんです。

非常に流動的で、劇的で、次に何が起こるかわからない、新しい構造がどうなるかわからない、今はそういう時期なんじゃないかという気がするんですね。

大江 僕たちは、安定期に生きていたという気持ちはあまりないんじゃないかと思うんですね。僕は、立花さんよりも五歳年上なんでしょうか。僕が一番最初にはっきり残っている記憶は、戦争の起こった日なんです。ラジオもはっきり聞けなかったような小さな村だったのですが、そこへ川下の隣町からどういうわけか、一人の中年のおじさんがどんどん私のうちまで走ってきました。非常に朝早く、まだ薄暗いうちです。

僕がおふとんの中に入って聞いていると、戸口まで出て行ったわたしの父に、戦争が起こりましたということを言っている。

その人が、今度は茶の間に入ってきまして、そこにどーんと横倒しに倒れまして、三〇分くらい荒い息をついているわけです。そこへ母がコップに入れたお酒を持っていって、その人がお酒を一杯ぐっと飲みまして、またぐったり倒れているんです。これが僕の最初の記憶のひとつです。

それから、もっとはっきりしている記憶は、戦争が終わったときで、ラジオで天皇がしゃべっていると友達が言って、早くも天皇の声を真似する友達がいたりする。それから占領軍——進駐軍と言ったわけですが、進駐軍が村にジープでやってくると。やがて朝鮮戦争（一九五〇年）が始まり、核の時代が進行するということで、安定した時代に生きてきたという気持ちはないんですね。

ところが、今の自分の子どもたちを見ていると、この子どもたちがこれから生きていく時代に比べてみれば、自分は安定していた時代に生きていたなという感じがするんですね。それは、今立花さんがおっしゃった、ある「構造」というものが存在する時代を生きてきたという気持ちがするからですね。ところが、その構造が壊れかけている、あるいは一つの構造の外側に出ざるを得ないような状態、境界的な状態に今きているという印象がある。

そして、その次にどういう構造があるかということはわからないわけです。歴史主義が信頼できるときには、次には社会主義国家の構造があらわれるだろうという気持ちがあったわけですが、次の構造はわからない。そこに向かって、経済も国際関係も政治もすべて加速されて、人口問題も加速されて、住んでいる環境という大きな病気も加速もされている。エイズもある。

そこで、自分の子どもたちはどのような波乱に満ちた時代を生きるのかという気持ちがありますね。それが『治療塔惑星』という小説を書こうと思ったそもそもの動機でもあるわけですね。

立花　大江さんの『治療塔』とそれに続く『治療塔惑星』は時代設定としては、今から大体六〇年後くらいの世界で、核戦争もある程度起きて、環境がどんどん悪化して、地球が住むに堪えなくなる。それで一部のエリートだけが宇宙ロケットで脱出して、新しい地球に向かい、そこに新しい人類のすみかを築こうとする。できの悪い大衆は地球に残ってもらって、適当に滅びてもらうと。そういう落ちこぼれの地球と、エリートの新しい地球と。そういうことが起きるという設定ですよね。

地球のこれからの未来に対するペシミスティックな世界観。核の問題も、環境の問題もアンコントローラブルであると。もうどうしようもなく、地球はどんどん悪化するばかりであるという前提は、大江さんの率直な地球の未来に対する危機感の反映なのでしょうか。地球は、終末的な危機状態にあって、このままいくとああいうふうになるという……。

大江　「君はそういうペシミスティックな世界観を持っているのか」と問われれば、「そうです」と言わざるを得ないわけですね。ところが、片方では、そういう非常に暗い状態、ペシミスティックな悲惨な状態の中でも、人間は何とか生き延びていくだろう、生き延びる工夫をする、そういうところに人間の一番人間らしい魅力、人間らしい努力というものがあらわれてくるという、理由がないと言えば理由がないような信仰も、自分は持っているわけです。

結局、僕は何のために小説を書いているかというと、非常に悪い時代に、悪い世界の中で非常に病んでいる人間がいる。それをどうにかして治療しなきゃいけない、治療させなければならない。人間本人に回復していく能力というものがあるし、お互いに励まし合う力も人間にはあるということを書くのが、僕の小説のテーマということになっていると思うんです。

それはSF作品の場合に限らない。たとえば、一般の僕の小説でもそのように書いてきた。理由は二つありまして、ひとつは広島で被爆者たちを治療し、自分自身も被爆者である重藤文夫先生のような方がおられる。その努力をかなりよく知っているということがあります。

もうひとつは、自分に障害を持っている子どもがおりまして、障害を持っている子どもとずっとつき合っていると、やはり人間というのは回復していくものだと。非常に悪い状態から立ち直っていくものだという信仰のようなものが僕にあるわけです。それが僕の小説にあると思うんです。

ですから、長くなりますけれど、立花さんの質問に、君はペシミスティックな未来像というものを正直に考えているのかと言うと、イエスなんです。そう考えています。同時に、そこから何とか立ち直るというか、そういう力というものが人間にあるという、基本的な信頼感のようなものもあるわけですね。

ところが、環境問題などについては、そういう楽観的なことは言えなくなるぞという反論があり得るわけです。これから僕が正面から見なければいけないのはその問題ですね。

汚染されていく環境の問題

立花　人間の立ち直り能力の問題ですけれど、人間個人の立ち直り能力と、それから社会システムとしての立ち直り能力と、それから人類というヒューマン世界の全体の立ち直り能力と、かなり違うと思うんですね。個人レベルだといろんな人が立ち直る能力を持っているし、いろんな場所で立ち直りの努力が重ねられているわけです。

個人が自分の持っている能力によって立ち直ることで、その人が属するコミュニティにも良い影響がある。ところが、環境問題というのは、この危機が進行し出すとどうしようもなくグローバルな危機になっちゃうわけです。そうすると、グローバルな危機の進行を止めるのは、グローバルな社会システム全体の立ち直りといいますか、それが必要になる。そういう立ち直りを可能にする条件は今あるのかというと、全然――というと言い過ぎかもしれませんけどね。

たとえば、ブラジルに世界中の首脳を集めて環境サミットというものが開かれますけれど、ああいうのは確かにグローバルな立ち直りの最初の一歩にはなり得ると思うけれども、そんなに時間が残されていないということですよね。

フロンの問題なんかも、今、フロンの使用を完全にやめても、既に地球を取り巻いている大気圏の上層部にあるフロンの量だけで、さらに悪化していくわけですね。そういうことを考え出すと、本当に環境問題に取り組んでいる人たちの間にも、いろんな意見がありまして、「もう手遅れ」と言っている人もいるんですね。しかし、一般には、既に手遅れという、そこまできているんだという認識はあまりないんじゃないかという気がしますね。

危機の認識がなければ、危機なんて止められません。まず危機感を共有するという、そこからやらなきゃいけないというのは大変なことだし、実際に、一体どうやってコントロールしていくのかと。それも大変です。

大江　地球環境をどのように救うかということに、個人規模で、あるいは市民規模で関われること、それに何か自分として参加していくということをするほかないと、今、改めて思います。

同時に、そういう問題に国家規模、あるいは国際規模で取り組む会議なり、機関というものがつくり出されなければならないことも、はっきりしているわけですね。

そういう側面から考えてひとつ新しい世界構造というものが見えてくるんじゃないでしょうかね。たとえば、国連が持っている機能を、環境問題から地球を救うという方向に集中していくというようなことですね。湾岸戦争において、ああいうふうに大きい経済力と暴力と、それから人間の力というものを一応国連が（関与し、多国籍軍を）発動させることができた。そういう力を環境のような問題に集中的に向けて行くということは不可能じゃないと思うんです。少なくとも、日本人としてどうするかと言えば、環境に対する防衛ということを、国家の中心的な政策として求めていく、国連への経済的な協力はその方向でやっていくということはあり得ないでしょうか。

立花 湾岸戦争時に結成された多国籍軍。あれは国連決議に基づいて多国籍軍が結成されたとされていますが、実際にはアメリカを中心に個別国家が連合してやっただけで、そういう行動を国連としては認容しただけでした。

もともと一九四五年に国連ができたときには、国連という超国家的な主体がみずから軍事力を持って、平和の破壊者を制裁するというシステムを考えました。ところが、それが全然実現されず、相変わらず個別国家が武力を持っているという状態がずっと続いてきているわけです。結局、湾岸戦争みたいな場面では、国連の名において、武力が使われるけれども、国連は全然主体は成していないという、ああいうシステムができちゃったわけですね。

だから、もともと国連憲章の中にある、国連が自分の軍隊を持って平和の破壊者を制裁するという、最初の発想の原点に戻るべきです。米ソ二大陣営の冷戦構造が壊れ今こそ、本来の国連システムをつくって、安全保障に国際的に取り組むべきだと思います。国連内部でもそういう声が出ているという。そのほか、いろんなところから同様な意見が出ていますよね。

たとえばソ連も自分たちの軍隊を失っちゃいました。このままた元に戻って、個別国家がお互いに軍事力を持って張り合うというような世界構造をつくっても意味がないわけです。やはり国際的な安全保障の体制をつくっていくべきだろうし、環境問題においてもそうだろうと思うんです。

特に環境問題は、どこかひとつが抜けがけしていると、そこから公害がグローバルに撒き散らされるという問題がありますから、どうしても世界全体が連合してコントロールすることが必要になってきます。

「環境ジャーナリストの会」が一九九一年に設立されました。僕は発起人の一人で、設立記念シンポジウムでいろいろしゃべったんですが、そのとき国連の環境担当の高官が日本に来まして、やはり環境問題に関しては国連が中心になって、全世界が一致した歩みでコントロールしていかなければならないと言う。また、国連が主体的に行動していくためには、国連自体が自分の予算、財源というものを持たなければならないとも言っていました。

このため、世界中の人から、個人個人が払うか、国家単位で払うか、どういう単位で払うかは別にして、要するに地球環境税みたいなものを国連が取って、その環境税を国連が主体となって使って、環境をコントロールするような方向に行きたいと。国連というのが今はあまり実態がないわけですね。安全保障の問題でも自前の力が何もない。環境問題に取り組むことを通じて国連は、そういう自前のパワーをちゃんと持った国家を超えた組織になるのではないか。そういう体制を通じてしか環境問題の解決はないし、安全保障問題の解決もない、ということをおっしゃっていました。

僕は全くそのとおりだと思います。

大江　僕は経済学者の宇沢弘文先生を尊敬しています。正確にその構想を紹介することができないんですが、宇沢さんがお話しになったことのひとつに、今おっしゃったような炭素税といいますか、そのような発想を示したものがあったと思うんですね。それは、ある国の人間がエネルギー資源をどのくらい消費するかということに応じて、その国の人間が、それこそ国連のようなところに税金を払って、そして環境を守るために使うという構想だったと思うんです、僕の解釈では。そうしますと、フィリピンの一人の市民が担当しなきゃいけない税の額は、ニューヨークの一人の市民が担当する税額に比べて非常に少ないものになり得るわけですね。

立花　数百分の一くらいかもしれません。

大江　ええ。アメリカ人、日本人がどのように環境を汚染しているか、どのようにエネルギー資源を消費しているか。それによって国の税金を決めて、国連なら国連に払うという構想だったと思うんです。実現されることは非常に難しい構想だと思いますけれど、実現されればいいと思う。

エネルギー資源を使う一人当たりの量と、環境を汚染する一人当たりの量ということは、プラスマイナス背中合わせにして、ひとつに重なっているわけです。ですから、そういう構想というのは具体化されるべきだと思います。

立花　環境税は国内でもやるべきだと思います。たとえば今、東京都なども大量のごみ処理のために莫大な費用をかけています。大量のごみの最終処理は、全部東京都が公の負担で行うわけです。ごみを出すほうは、最後の処理はすべて公共機関に任せることで利益を得ている。ですから、ごみを出す側は全部この費用を負担すべきじゃないかと思います。

ただで処理してもらえるから、やたらにごみを出すのであって、お金を払うとなると、人間はケチなので、途端にいろいろおさえ出すもんですよ。

だから、さまざまな環境汚染を減らすという意味でもものすごく効果があると思うんです。水の汚染の問題についても、全部費用を徴収すべきだと思います。ごみの処理を全部ただだというシステムの中でやっている限り、止まらないと思いますね。

大江　立花さんがお書きになった『宇宙からの帰還』という本に、僕は感心しており、非常に教わっておりますけど、その中に、私と同じくらいの年なんですが、大学卒業後に空軍で爆撃機に乗っていた、それからもう一度大学に戻って、宇宙飛行士になった人がおりました。

立花　ジョン・スワイガート氏ですか。

大江　ええ、そうです。僕には非常におもしろかった。

一人の宇宙飛行士として地球の周りを飛びながら、宇宙の中でさまざまな研究活動をしながら、地球全体の環境について考えなければいけないと思った——と言っておられて、それが非常に説得力があるわけです。おもしろいことに、ほとんどすべての宇宙飛行士の人たちは、地球環境を守らなければいけないということを考えるように思います。

立花　そうですね。僕はソ連に行きまして、ソ連の宇宙飛行士にもいろいろ会ってインタビューしたんです。アメリカの宇宙飛行士の場合には、宇宙に行くといろんな精神的なインパクトを受けるんですけど、そういう話をソ連の宇宙飛行士にぶつけると全然否定的です。宇宙に神なんかいないみたいな感じで笑う人が多いわけです。しかし、こと環境問題に関しては、アメリカの宇宙飛行士の認識と本当に同じなんです。宇宙飛行士の秋山豊寛さんも、自分は精神的インパクトはゼロですと言ってたんだけど、やっぱり環境問題だけは真剣に考えたと言いますね。

それはなぜかといいますと、非常に簡単なことなんです。宇宙に出ると、地球というのはちゃんと円弧を持って見えるわけです。人間が住んでいるところは薄い膜にしか見えないわけですよ。水と空気、これが人間をはじめとする生命の生存条件です。

その薄い膜の部分というのは、本当に薄くて、たとえば東京から新宿までの距離もあるかないかぐらいの、そのくらいの薄さなんですね。

みんな宇宙というのは遠いと思っているけど、ちょっと抜けたらすぐ人間が生きていけない空間に出ちゃうわけです。その薄い膜はひとつながりで、どこかを汚すと地球全部に広がっちゃうわけです。それが、実際に宇宙に出て、大気の汚れ、水の汚れがうわっと広がりかねない地球空間を見ていると、人間が住んでいる環境というのはこんな薄い膜の中で、本当にひとつながりだという、そういう自覚が文句なしに生まれる。ものすごく実感的に。それでたいていの宇宙飛行士は、環境問題ということを強調するようになるんですね。

科学者としてNASAで働き、作家活動を展開したイギリス人のジェームズ・ラブロックなどは、人類の運命というのは、宇宙の中にどんどん進出していく。いわば旧世界の人間が、コロンブスの新大陸の発見で、新大陸にどんどん広がったみたいに、この宇宙空間の中に人類が占める生息圏というのがずっと広がっていく。これがさらに何千年の先までいくんだというような、そういうイメージがあるんですね。

これまでの人類は地球上の人類史しかないけれども、これからは宇宙にも人類史が始まり、この先さらにもっと長い時間にわたって続いていくんだという、そういう発想ですね。

大江　そういう非常に大きいタイムスケールで、ビッグバンから現在までを考える。また遥かな未来に向かって考える。スケールも地球にとどまらないで、地球上の薄い膜としての人間の生存権にとどまらないで、宇宙に開いていくという大きい構想を持った人がいて、そういう人が地球の環境問題について、非常に深刻に考えているというのは説得力がありますね。

人口問題と移民問題

立花　ただ、そういう考え方が、本当に通用するかどうかは、またいくつか疑問もあります。

大江さんの『治療塔』も、新しい地球を目指して一〇〇万人が植民するわけですね。

ところが、やっぱりどう努力しても、そこは人間が住める環境につくり変えることができないというので、また帰ってきちゃうわけです。

そういうふうに、これから人類が宇宙に進出するとして、地球で人類が栄えたみたいに住むに適した星が身近にあるかというと、まずほとんどないというのが実情なんです。太陽系の中ではたとえば火星に住めるとか、あるいは小惑星に住めるとか、木星の衛星に住めるとか、多少住むことが可能なことが想定される星があります。多少あるけれども、じゃあ、太陽系の外に行けるかというと、これも何光年の彼方でしょう。今、どんなに速いスピードで行ってもたどり着けないんですよね。

宇宙進出が具体的に人類の生息圏を広げるという形で可能かどうかというのは、結構難しい問題です。

それから、今は数人単位で宇宙へ送り出すぐらいのことしかできません。日本だって独自のロケットを持てば、年に数回は人間を飛ばせるぐらいのことはできる。でも、たとえば何百人、何千人、何万人という規模で人類を外に送れるだけの経済を、これから全地球的に持続できるかというと、これはかなり難しいし、それで消費するエネルギーは一体どうやって作り出すのか。そういうことを考えると大変だし……。

さらに将来を考えると、人口問題というのは全地球的にものすごい負担として響いてくると思うんですね。

先進国では今、人口増加はある程度止まっているけれども、いわゆる第三世界ではまだまだ人口が増えつつあるんですよね。地球環境はサステーナブルなのか。保持し得る人口規模を超えちゃっているんじゃないか。現実に今、日々餓死する子どもたちが、第三世界に行くと山のようにいるわけですね。我々は、そういうものを直接に見てないから、まだ地球全体がハッピーな状態にあるような気がしているけど、それは見てないからそう思っているだけかもしれません。

大江　地球全体の人類がどのように生き延びていくか、どのような未来があるかを考えると、ドラスティックな、非常に大きい手段が講じられなければ、人口爆発でもって世界が滅びるということになるかもしれない。
そういう大きい危機というものが、非常に巨大な規模で目の前にはっきり見えている時代、同時に、今度はそれとは矛盾するようですけど、一人ひとりの個人の生命について言うと、個人がかつては考えられなかったような長さで生き延びることのできる時代にもなっています。すなわち、環境は汚染され、人口全体の爆発という非常に大きい危機に近づいている、ということが片方にある。同時に、今から五〇年前に比べて、あるいは一〇〇年前に比べて、一人の人間が老人となって死を迎えるという過程は、飛躍的に長くなっている。長寿を生きる方が多いわけです。

そうすると、今度は個人がどのように生きて死ぬのか、それを他の人がどのようにコントロールするかということも、非常に大きい剝き出しの問題として目の前にありますでしょう。それを立花さんは脳死の問題を通じて、ずっとフォローしてこられたと思うんですね。

僕は生命をどのように重要に考えるかということの意味が、非常に複雑で、非常に多層的で、しかも深められて、現在の問題としてあると思うわけです。

立花　今、おっしゃったような、前よりもずっと長生きする状況というのは、やはり先進国だけのことで、グローバルな問題としてはそうはなってない気がするんです。

今、地球人口は五〇億人を超えています。本当に、ものすごい勢いで増えているわけですね。これまでの地球の生命史を考えて、こんな大きな哺乳動物で、地球に五〇億もいる生物なんてどこにもいないですよ。これは生命の歴史の上で全く不可能だったことを可能にした種で、どうやって可能にしたかというと、結局、食い物を何とかして獲得したんですね。食い物を獲得するために、畑や田んぼをどんどんつくったわけです。そのために、必然的に環境破壊をもたらしたわけで、今、環境破壊というと、工業の問題とか、何かそういうことを問題にしますが、実際に地球の自然を大きく破壊してきたのは農業です。今の熱帯雨林の問題なども、日本が南洋で木材を切っているからという指摘があり、それはもちろんあるけれども、もっと大きいのは畑をつくるための伐採、それから牧場をつくるための伐採です。

そうやって食料をどんどん増やしていく。つまり自然破壊しなければ、人間はとても生きていけないようなところまで、種として繁栄した。

そういう意味で、僕は人口問題を考えると、自然の歴史の中では人間は完全に矩(のり)を超えた存在になっているのじゃないかという気がしますね。かといって、同じ船にわれわれは乗っているわけですから、おまえ降りろというわけにいかない。だから、何とかして、せめて今ぐらいの規模で、人口をコントロールするという条件のもとで、地球を最大限利用し、かつ保ち得る環境規模というものを、本格的に研究して維持していかないと、何か救いがないという気がしますね。

大江　東西問題が、一応大きい危機ではなくなった。この後は、南北問題が非常に大きい焦点になるんじゃないでしょうか。南北問題というのは何かというと、必要以上にたくさん消費している先進国の、しかし人口増加という点では、ある程度抑制のきいているグループの土地がありますね。また逆に南のほうで、生命の維持のために必要なだけの消費もできないような、子どもが餓死しているようなグループがあり、しかもそこでは人口が増加し、コントロールがうまくいっていない。そして全体に貧しいということもあります。冷戦が終わったということと同時に、貧富の差の拡大ということが、非常に加速されていると僕は感じています。

人口の問題を考えるにしても、環境の問題を考えるにしても、まず南北の格差をどのように解消していくかという方向に、当然考えざるを得ないわけですね。

ところが僕たち日本人は、やはり南北問題ということをあまり考えないで生きてきたし、生きている。

排外主義の危機

立花　今もそうですよね。ただ、もうそろそろ考えざるを得ない状況に追い込まれているると思うんです。それは労働力の流入という形で起きるんです。

これは、アメリカやヨーロッパでずっと前から起こっている問題ですけど、貧富の差がこれほど大きく拡大すると、どんな障壁があってもそこを乗り越えて、より富が得られる世界へ入ってこようとする人たちが無数に出てきます。これはちょっとやそっとのことではコントロールは不可能で、メキシコとアメリカの間では職業的に越境を媒介する人たちもいます。

この間、見た記事では、アメリカとメキシコの間を結ぶ高速道路のまん中を突っ走ってアメリカに逃げ込む、そういう人たちの話が出ていましたけど、どんな無理をしてでも、とにかく入ってくるという人たちがものすごくいるでしょう。

たとえば東京でも、今、上野の周辺なんて、僕は上野の近くに住んでいますからよく見ているんですけど、本当にすごいですね。

日本のあちこちで、そうやって流入してきた人たちにまつわるさまざまなことが、身近な問題として起きてくることになるわけですね。

つい最近あった話ですけれど、ある外国人がその土地の夫婦を取り囲んで、奥さんを旦那さんが見ている前で強姦して、それでその奥さんは正気を失ったといった、そういう噂話が流れた。調べると何にも事実が出てこないんです。ところが、その噂だけはどんどん広がったという話が週刊誌に出ていました。これはとっても恐い現象だと思うんですよね。

それを読んだときに、関東大震災のときに、在日朝鮮人が暴動を起こしたという流言に恐怖した民衆が、朝鮮人を虐殺した事件を思い出しました。あの事件も、元はそういう噂なんですね。朝鮮人が日本人を虐殺しているという噂がどんどん広がっちゃった。それで、朝鮮人を虐殺するといったことが起きたわけです。

不法に流入してくる外国人の労働力に対するさまざまな形の反感みたいなものが、

ひとつはそういう形であらわれるし、もうひとつは、それを正式に許可することで、さらに移民が増加すると、たとえば、ドイツなどで起きているネオナチの外国人襲撃みたいな形のことも起きてくるのじゃないか。

貧富の差が、北と南で開けば開くほど、要するにグローバルな社会の解体現象というのが、その接触地点でどんどん起きていくのじゃないかという気がするんですね。

大江　今から一〇年前ぐらいですと、大工さんを頼んだらイランの人がやって来たというと、めずらしい話でした。現在の外国人労働者の数というのは大変なものですね。

この前も、知多半島のほうに行きましたらば、そこでさまざまな語学のできる大学の先生が、ブラジルからの労働者のために、言葉の講座を開いているという。小さな町ですよ。そこで五十数人もブラジルの人が働いている。変化の激しさは驚くべきものだと思うんですよね。

一九七〇年代の初めだったか、ある新聞が実施したアンケートがありまして、外国人の労働移民はあり得るかという問いで、それに対してあり得ないということを答えている人のほうが多かった。ところが野上弥生子さんは、一九七〇年の時点ですからもう八十五歳でいらしたと思いますけど、それはあると、答えておられるわけです。非常に予見性のある人でした。そういう外国人の労働者が日本に増えてくる。それに対して、日本の大人たちの対応というものも問題がありますね。今、おっしゃったように。では、子どもたちはどのように対応していくんだろうということが、僕は非常に心にかかっています。

大人たちが持っている人種差別のような感情、外国人に対する差別というものが、今度、子どものレベルに広がってくると、将来に向かって手の施しようがないと思うんですね。

立花 僕も子どもたちのことは心配です。外国人じゃないんですよ。外国人じゃなくて、最近、帰国子女がいっぱいいるでしょう。あの帰国子女がいじめにあうんです。日本というのはかなりホモジーニアスな社会だから、ちょっと自分たちと違うと、いじめちゃうという。日本人にはどうもそういう精神構造が、小さいときからあるような気がしてね。

僕らの子ども時代も朝鮮半島から入国した人たちをいじめた例がたくさんあるわけ

ですね。ああいう日本人の体質は治っているかというと、全然治ってなくて、帰国子女まで攻撃の対象になるという状況がある。今後、日本がいろんな国から労働力を受け入れて、その子どもたちが学校に入ってくるようになると、僕はそれが出てくると思うんですね。本当に恐いですね。

大江　ヨーロッパのネオナチにしても、あれは若い人たちが、社会の歪みとか、圧力というものを感じとって、それを非常に暴力的に表現しているわけですね。それがある段階で根こそぎなくなってしまうという場合もあるわけですね。人間の病気が治るように、社会の病気が治る場合もある。一方で、それが次第に拡大されて、国全体を覆って、かつてのナチズムというようなことになる場合もあるわけですね。

関東大震災の朝鮮人虐殺ということは、非常に突発的な出来事だと見えますけれども、それから後の昭和の歴史の進み方を見ると、日本人が韓国に対する大きい暴力行為を、全体として容認していく方向に進んできた。中国についてもそうです。

ですから今、小さな地方のある県に起こった事件というものが、将来、大きい日本の全社会を覆うような事件の前触れであるとすれば、非常に恐ろしいわけです。子どもたちにあらわれているものが、やがて克服されるものであればいいけれども。

戦後の五〇年を見ていて、子どものいじめについては、むしろ次第次第に進行してきているのではないか、そういう気持ちを僕は持っています。

それから、たとえば外国人の方が非常にたくさんふえて、そういう人たちのお子さんが日本の学校に入ってくるということが起こるとして、それは二つの可能性があるわけですね。日本人が国際的に偏見のないつき合い方ができるようになる最初の出発点になるかもしれない。逆に、そこで非常に大きい差別的なことが行われる可能性もある。

もし後者であるとすると、それは非常に大きな国際的な爆弾を抱え込むようなものですね。彼らは本国に帰っていくわけですから、日本人に対するはっきりした考え方を持ち、それを周りにも広めるでしょう。

傍観者の罪

立花　いじめの問題というと、いじめる子どもといじめられる子どもの問題というのが、いつもさまざまに指摘されて、要するにそこに問題があるんだみたいな形に議論が集中していきます。けれど、僕はもっと大問題なのは、そのいじめるほうでも、いじめられるほうでもなくて。というのは、どっちも少数派なんですよ。そこには同級生がいるわけでしょう、その他大勢の。僕らの時代だって、いじめっ子がいて、いじめられっ子がいましたよ。でも、どんな極端になっても殺しちゃうとか、そんなむちゃくちゃなことは絶対に起きなかった。度を過ぎた行為が起きたら、「そんなことやめろよ」というやつが必ず出て止めたものですよね。ああいう極端ないじめ行為が起きている学校で、他の生徒たちは一体何やっていたんだろうと。僕はその人たちのほうを非難したいような気がするんですね。

いじめっ子が弱い子どもなどに暴力を振るうのは、いじめっ子自身が、何者かによって何らかの無形の暴力を振るわれているという心理的に追い詰められた状況がおそらくあるわけですよね。そういう無形の暴力を受けた子どもは、有形の暴力をふるうことで発散させるようなところがあって。そこはやっぱりケースバイケースでいろいろ分析しないとわからないだろうけれども、つまりそういう暴力を横行させている、むしろ大衆としての子どもたち。この人たちの心理状況があんなになっちゃったのは一体どうしたんだと。こっちのほうが大問題のような気がするんですよね。

大江　それはごく一般的に考えてですけれど、おとなの社会を反映しているということじゃないでしょうか。おとなの社会でも、僕が子どものときに感じていた、あるいは明治や大正の文学を通じて理解する日本人の社会において、他人に対する態度というものは少しずつ変わってきていると思うんですね。第三者として傍観する態度というものが非常に強くなっているという、そういう変化がおとなの社会にないでしょうか。

生活環境が大都市化したということもありますけど。僕が子どものときは小さな村で、非常に乱暴な人とか、それから非常に働き過ぎる人とかがいると、みんなの批判を浴びて、村の共同体の中に同化していくということがあったと思います。ですから、あんまり極端な人がいると、それに対して「あれはちょっと違うんじゃないか」という言い方があったと思いますね。ある共同体としてのお互いを見張る関係といいますか、それも監視するというのじゃなくて、友好的に見張る関係とかがあった。

ところが今、新宿駅などで、酔っぱらいが暴行されるところを見たりすると、自分自身もその中に含まれているわけですけど、傍観している人たちが多いと思いますね。そこに入っていって、まあ話を聞いてやるとかということをしない。

それが、子ども社会にも伝播していっているのであって、子どもたちだけが突出して、仲間をいじめあっているんじゃないような気もするんですけど。

立花　社会の匿名性というか、やる人間も、やられる人間も、それからそれを見ている人間も、全員が直接の関係がない。あかの他人同士の関係。その中で起きていることに本質的におれは関係ないという、そういう無関係の人間関係の中で成立している。大江さんがおっしゃるのは、そういう現代社会の匿名性のことだと思うんです。

ところが、学校のクラスで起きているいじめなんていうのは、その人にとってまさに日常的な、常に生活している空間の中で起きていることでしょう。それは互いのことをいろいろ知っているわけですよね。知っている中で、そういうおかしなことを起こすというのは、昔の村のような環境であれば、そういう極端な例というのは何とかなだめる方向へ共同体全体が動いたわけです。ところがそれが今、ないわけでしょう。ほんとうは、明らかにひとつの共同体であるのに、その共同体が大都会的な匿名の世界で、日常的に顔を合わせる関係でありながらそこが変わっちゃっているという。随分変な変化が子どもの世界に起きているのかなという気がするんですが。

大江 今おっしゃったように、お互いに知り合っていて、お互いに責任もある関係の中で、中立というか、傍観している子どもたちが増えているということがあるとすれば、非常に奇怪なことですね。恐ろしいことです。今後それがどんどん拡大再生産されて、そういう子どもたちが大人になっていくとしますね。そうすると、それにプラスして、今度は都市の匿名性ということが加わっていくとして、そしてそこに今度は自分たちとはっきり違う顔形をした外国人がたくさん入ってくるというようなことになれば、ほんとうに縦にずたずたに切り裂かれているような社会があらわれてくる可能性がありますね。

ある大きい変化というのは、その兆候が見え始めたときには、もうそれを押しとどめ難いような大きいスピードになって進行してしまうということがありますでしょう。たとえば東欧とソビエトの変化も、現にそうです。それから、環境が地球的にすっかり悪くなっているということ自体がそうだし、立花さんがおっしゃったことですけれども、人口問題ということももう後戻りできないようなことになっているとすれば、今、非常に激しい勢いで、破滅のゴールに向かって動いている。

そう考えれば、子どもの社会に起こっていることが僕たちの目に触れるようになったということは、非常に大きい勢いで進行していることかもしれませんね。

格差拡大により、極端にアンバランスになる

立花　数年前、関東地方で公園に寝ている高齢のホームレスを、中学生ぐらいの子どもが殴り殺す事件がありましたよね。ああいうふうに絶対的に弱い立場にある人間に、あれだけ極端な暴力を爆発的に振るうという。僕は、これはとても怖い社会になりつ

つあるという気がしたんですが、ああいう現象が、今、どんどん外縁を広げて……。だから、僕は間もなく、ヨーロッパのネオナチの外国人襲撃とほとんど同じようなことが日本で起こるんじゃないかという気がし出しているんです。

じゃあ、そういう爆発的な暴力を振るう連中は、何がその背景にあるのかと。さっき言ったように、いじめっ子たちが受けている無形の暴力というものが何かあるわけです。それは結局何なんだろうなと思うと、それは月並みな分析なのかもしれないけれども、今、日本の社会というのは、いわゆる士農工商的な階層はないけれども、やっぱり職業とか、社会的ポジションとか、いろんな意味でかなり階層分化というのが激しい社会に変化しつつあるという気がするんですね。

その階層の上層部というのは、広い意味でのテクノクラートですよね。工学的なテクノクラートもいるし、政治的、経済的、要するにマネジメントや研究や何か、そういうハイヤーな職業に携わる人間が、今の社会の中で、何か自分が有意味な活動をしていると思えないと、自分の無意味さ、無力さみたいなものを味わい続ける日常しか、自分の将来にないような気分に追い込まれる傾向があるのではないでしょうか。

学校時代からそういう階層分化があると思います。いわゆる偏差値教育で分けられていく。それが心理的に子どもたちを追い込んでいるんじゃないかという気がするんです。

大江　僕も、階級的な分化ということが行われているという感じを持っています。僕なんかは、戦争直後の混乱期は十歳から十五、六歳まで。そして東京に十八歳で出てきたわけです。そのときも、大学の中で、自分たちに比べてまったく育ちの違うような裕福な人間だという感じを持つ人はいませんでした。実際にはいたかもしれません。しかし、そういう人たちはそういうことを表現することを恥じていたといいますか、裕福な学生であっても、できるだけ生活のレベルにおいて周りと同じような人間だというふうに振る舞おうとしていたと思います。

ところが最近は、非常に裕福で、立派な車を持っていて、そして十分なお金もある、それから春休みや夏休みに外国に行ったりするということを当然なこととして、誇らしく語る若い人がたくさんいます。音楽会なんかに行ってもそうです。確実に生活レベルの非常に高い人たち、それもかなり大きな集団に出会ったりすることがある。

それから、確かに学校の中での階層分化というか、有名大学に進学できる人とそうでない人の分化というものは非常に早いうちに行われています。いい学校に行く人たちは私立の有名な幼稚園に行く、小学校に行くということがありますね。

そういう社会的な基盤と今のような感情的なひずみがくっついてしまうと、それはほんとうに根の深いものなんでしょうね。

立花　大江さんの作品『治療塔』が示す、新しい地球へ向かっていくエリートは全地球で一〇〇万人ぐらいで、あとは全部落ちこぼれという、ああいう世界が現実になるでしょう。ほんとにそういうバランスで起こるかどうかは別として、今はまだエリートと落ちこぼれの数のバランスはそんなに極端には開いてないけれども、社会が高度化するほど、その高度化した社会をマネジメントできるエリート層の数というのはどんどん少数者になって、落ちこぼれがものすごく膨れ上がっていく。そういう極端なアンバランスというのが、やっぱり将来起きるんじゃないか。そういう意味で、僕はすごく予見的な作品だと思うんです。

一つの国の構造の中でエリートと落ちこぼれのバランスがこんなふうに極端に開く

のと同じように、今、北と南では、それが人口の問題という形で起きているんですね。つまり、第三世界では人口増加が急速に進んでいる。ところが先進国はみんな数％とか、あるいはコンマ以下に落ちちゃったところもあるんですね。かつては南北の人口の比というのは、たとえば二対一とか、その程度のバランスだったのが、どんどん差が広がって、今の国連の予測でも、二〇〇〇年代には先進国の人口は地球人口の一〇％台しかなくなるという予測もあるんです。

そうなると、ほんとに少数のエリートが、その他大勢の落ちこぼれを経済的に支配する構造がグローバルにできちゃうでしょう。一つの国の中であれば、政治制度を変えて変換することができますが、グローバルな国家間の関係でそうした格差が開いてしまうと大変です。先進国同士だったらまだ争い方というのがあるけれども、今、あらゆるテクノロジーや軍事力の主なものは全部北にある。このアンバランスの中で、豊かではない側がずっとおさえ込まれ続ける構造になったら、ここはものすごい不満がたまり圧縮されていく。グローバルなフラストレーションの大爆発が起きたら、世界は一体どうなるのかと。だから、我々が今まで考えたことがないような大きな社会的な変動というのが、このままいくとあるんじゃないかという気がします。

大江　人類の歴史の上で、植民地時代というのがありました。現在は植民地というものはほとんどなくなっている。しかし、かつての植民地のような支配、被支配の関係がなくなっているかというと、逆にそれは非常に大きくなって、現に世界にあると思うんです。

植民地時代におけるよその国の支配の実態を文学で見ると、イギリス人がインドを支配する、それについての文学というのは数多くあります。たとえばジョージ・オーウェルが実際に自分もそこで働いた人間として書いてるように、ビルマならビルマという国がどのように植民地として支配され、その国の人間の反応がどのようなものだったかが文学になっていますね。それを見ますと、もちろんそこに植民地支配の大きい悪というものがありますけれども、同時に、植民地支配をする側と支配される側との直接のつながりもあるわけです。それは人間的なつながりと言ってもいい。ただ、大抵は不幸な関係に終わってしまうわけですが。

現在は、北側の富める国が、さまざまな意味で植民地というか、南側の国を支配しているわけです。そこから資源を持ってくるということがあります。労働力を持ってくる場合もある。そこを市場として自分たちの経済を成立させるということもあるわけです。しかしその場合に、植民地的な支配をこうむっている人たちと、植民地支配をしている国の人たちとの人間的な関係はすっかり切れているわけでしょう。そこに幾人かの商人が行く、幾人かの工場経営者が行くということはありますけれども。そうしますと、どんどん南と北の間の格差が広がると同時に、南と北が断絶していくということになりますね。

よくSF小説に、こちら側には富める惑星があって、片方には、人口規模が大きく、生活水準が最低で、非常に粗悪なものを消費しながら生きている惑星があり、その間に支配関係がある――という設定がありますが、これが地球上で現実のものになってしまうかもしれません。その場合、日本人は自分たちの富によって、経済的な意味で支配している、侵略している、そういう外国人とのつき合いに慣れてないでしょう。ですから日本に、特に今、ドイツで起こっている外国人労働者との関係より、もっと大きいトラブルが出てくる下地はあると思います。

立花　北と南との断絶というか、格差というか、これが将来改善されるかというと、簡単にはいかないと思います。昔は南のほうはチープレーバー、安い労働力というものを武器に、経済発展を遂げられるような状況があって、日本も昔はそれで成功したわけです。ところが今、チープレーバーというのはほとんど経済的な武器にならないんですね。今、国家間の利益の差が何で生まれるかというと、ハイテク技術の差で生まれているわけです。ハイテク技術をより利用した高度な産業形態を持つ国はどんどん富む。それに対してこちら側がチープレーバーで対抗しようとしても、できる物が全然違うから対抗しようがないんです。技術が高度に発達し過ぎたために、かつては有効であったチープレーバーが機能しなくなった。これが北と南の格差がなかなか埋まらないひとつの原因です。

それからもうひとつは、やっぱり資本なんですね。北でもうかった連中、要するに金を持っている人というのは、よりもうけるためにどうすればいいか考えるでしょう。そうすると、昔はまだ開発が進んでいない国へ行って、ドンと投資すると爆発的にもうかるとか、そういう手法があって、南への投資が結構あった。けれども、今は北で投資したほうがはるかにもうかるわけです。そうすると、日本であぶく銭を稼いだ連中もみんなアメリカへ行って不動産を買ったりする。要するに北の間で資本がどんどん回って、北が資本においてもより有利な立場に立っている状況にあるでしょう。この二つの基本的な状況を変えない限り、北と南の格差はどうしようもないと思います。

じゃあ、どうやって北へいく金を南へ回すか。このお金の動く方向を変えるシステムを何か考えなければいけないわけです。国際的に、国のレベルを越えたところで金の流れを人為的につくり、南へ資金を落とし込むというシステムをつくるとか、あるいは日本の中でも、たとえば南への投資に対しては税制を優遇するとか、何かそういうインセンティブを与えれば南へお金が回ることがあると思うんです。そういうことを国として、政策として、目的を持ってきちんとやっていくことが必要ですが、そういうものが今は抜けているような気がしますね。

地球市民として

大江　今まで立花さんとお話ししてきた中で、幾つもの問題が、共通した顔形をしていると思うんです。手直しのきかないというか、後戻りのきかないような大きい危機へ向かって進行している。それをどうするか、ということです。たとえば地球規模のグローバルな環境汚染の問題。これは非常に進行していて後戻りがきかないかもしれない。悪化する勢いは激しくなっている。危機的な状態にあるということがひとつです。

この地球環境の問題は、たとえば冷戦時代の世界構造のように、米ソ、お互いの国が話し合えば、危機を回避できるというような問題ではない。あるいは核兵器の競争のように、核戦争を起こさないという決意をどちらかがすれば何とか回避できるというものでもない。もう回避できないような形で危機に向かっていて、しかもその勢いが加速されているということだと思うんです。

人口問題も同じことです。南北問題にしても、南と北の間に国家的な大きい和解が生じればこの問題が回避されるという問題ではない。南は南で、大量の人口を抱えた貧しい国として固定していく。北側はテクノロジー中心に、いつまでも潜在的な力を持ち、現に富んでいる国として、人口は少なくなっていくけれども、その位置付けは確実になって逆転はしない。そういう形で、すべての問題は、後戻り、あるいは逆転、あるいは修正ということが不可能な形で進行しているというふうに思います。こうした危機は同じ顔形をしていると思うわけです。

非常に暗い展望ですけれど、そのいずれを見ていても、じゃあ代案はないか、解決する方向はないかというと、どうもひとつの同じ顔形をした代案というものが、ほの見えると思うんです。それはどういう代案かというと、国際的な機関、国際的な大きい管理システムのようなものをつくって、それで矛盾、あるいは破局に向かう勢いを少しずつでも鈍らせていくということがなければならないし、あり得るという印象を僕は持ったわけです。

世界の環境の汚染、これはもう後戻りできない。オゾンの問題にしても、希望はないという言い方があります。しかし僕は、希望はないという方向で生きていくことはできないと思うわけです。

地球環境が大変に深刻になっていることが目に見えていると。これは、国際的な監視システムをつくったり、国際的な環境人頭税を徴収したり、あるいはごみの回収に確実にお金を負担したりするようなシステムをつくることで、悪化の勢いを少しでも緩めることができるかもしれない。人口問題についても、国際的な管理がいくらかの効果を上げるかもしれない。そして南に向かって北の富というものを流し込むシステムを構築することも決して不可能ではないという感じも僕は持つわけです。そうすると、すべてにおいて、ある国際的な大きい管理システムというものが必要であるという印象を持っています。

立花　そうした希望が持てるような新しい現象もいくつかあります。たとえば今、地球市民意識が生まれ始めているということ。グローバルに、世界中で同じことが叫ばれています。「この地球を大切にしよう」「エコロジー」「環境が大切だ」とか。我々は同じ地球の住人であり、地球を守らなければならないという意識は、日本だけではなくて世界中に広がりつつあります。そういう地球市民化という意識は、いま生まれつつある新しい現象だと思うんです。

ただ一方で、その地球市民意識で当然視されるようなことが制度化されない、制度化する政治的なシステムがないことが一番の問題だと思うんです。

近く、環境サミットが開かれますが、環境問題をテーマに世界中の首脳が集まって会議をするというのは、人類史上画期的なことだと思うんです。大衆レベルの地球市民意識が、初めて政治の場で相当大きな結集力を生んだ。サミットを経た後に、事態の改善に向けて本当に制度化できるかどうかという問題はあるけれども、少なくともいい方向に行っていると思うんです。

もうひとつ、特に環境問題などを考えていく上では、大衆がほんとうの情報を知ることが大切です。危機の実態を知らなければ、もちろん危機意識は生まれないし、それを管理するという方向にも動き出さない。問題を改善するためには、情報の公開によってさまざまな危機状況を明るみに出していく必要があると思うんです。

情報公開、情報共有のうえで、これまで大きな障害だったのは、東側とされてきた国家では、西側以上に大変な環境汚染が進行していたにもかかわらず、国が情報を完全に独占し、情報をコントロールしているために、国民が環境汚染の実態を知らなかったということです。だからこそ、チェルノブイリの原発事故も起こるわけです。あれに近い状態の原発が東側には幾つもあるようで、東側の体制が崩れたときに初めてそうした情報がどっと出てきました。そういう意味で、情報を管理し、性格づけていた東側の独裁制というものが崩れたことの影響は大きいと思うんです。

情報が一〇〇%大衆に広く行きわたるためには、やっぱり民主制度しかないと思います。独裁制度から民主制度への転換は、地球環境を改善するうえにおいてもものすごく大きいと思います。これで初めてグローバルな環境問題の検討や制度化のための条件が整えられる気がします。

ただ、そうは言っても、日本でもまだまだ情報公開は進んでいません。ひどいものですよ。環境に関する情報を当局が隠して出さないという体質がありますから。日本は前からよく言われるように、民主主義国家の中ではいちばん社会主義国に近いようなところがあって、国家権力が閉鎖的で、為政者と一般の人との関係は「お上」と「民衆」のようなところがある。そうした中で、情報というものも「お上」に吸い上げられて、なかなか表に出てこない。日本という国は、情報公開という点においてはさらに改善する必要があるんじゃないかと思います。

中国のこと

大江　東側の体制が表面上しっかりしていた間は情報が出なかったということですが、東側の小説などを読んでみると、いくらか破れ目のようなものがありまして、そこから何かがうかがえるということがありました。ソルジェニーツィンなどをはじめとして、非常に勇敢な小説家や詩人がいたということなんですが。

僕は中国の小説を読んでいまして、今、それを感じているわけなんです。たとえば、いわゆる天安門事件以前、中国に非常に新しい文学があった。アメリカで翻訳されたり、日本でも翻訳されたりするということがある。それを読みますと、中国の社会の大きい矛盾ということを彼らは勇敢に表現していると思うんです。『古井戸』という映画にもなった小説を書いた鄭義氏とか、また莫言氏の仕事を見ますと、環境汚染というようなことがどんなに大きく拡大しても仕方がないような生活環境が中国の農村や地方にあるという印象を持つわけです。それがひとつです。

もうひとつは、都市と地方の格差が非常に大きいということです。たとえば中国の地方の民衆から見て、上海、北京のような都市での暮らしというものがどんなに夢のような生活に見えるか、そこに労働力がどんどん流入するとどうなるか、というようなことがうかがえる小説があります。それと同時に、今言ったことと重なりますけれども、やはり都市というものが中国においていかに特別なものかということなども感じられる。

ですから、僕は中国人が中国の社会主義国家をいい方向に進めていくことをもちろん望みますけれども、今、世界に残っている大きな社会主義国としての中国では、環境問題をはじめとする大きな情報を封じ込めているのではないかと思うんです。

立花　それはものすごくありますね。宇宙からの観測でも、あるいは日本でいろいろやっている大気のサンプル調査でも、中国から来ている汚染というのはものすごい。まだまだ発表されていない汚染があるはずですね。

大江　日本人は中国を侵略した、中国人をたくさん殺したという歴史を持っているわけですが、日本人の側から働きかけて、中国と協力して方向転換を図るという、そういうことは不可能なんでしょうか。

立花　そこはちょっとよくわからないですね。中国はそんなに詳しくないので、中国の展望というのはあまり語れる立場にありません。

ただ、僕は天安門事件というものを見ると、やっぱり一皮めくれば、その下には変革へのエネルギーがものがすごい高さまで蓄積していて、中国という国も、ソ連、東欧世界で起きたみたいに、ちょっとしたことから一挙にそういうエネルギーが噴出する可能性を秘めているんじゃないかという気がします。

だから、今の体制が崩れて、何か破綻したときに、また天安門事件のような大反乱が起きれば、今度は社会をひっくり返す形で進行していく可能性があるんじゃないかという気がします。

大江　長い日本の歴史を見ていると、日本人は中国から非常に多くを与えられてきたわけです。多くを学んできた。僕たちの文字自体がそうです。そこで、日本人が中国の大変換に役立つことができるということがあれば、それこそやるべきことだし、大切な機会だと思うわけです。

たとえば朝鮮、韓国に対して日本人が償う、中国に対して償う、フィリピンに対して償うと言う。それは償わなければいけないと思っています。しかし同時に、どのように効果的な償い方というものがあるんだろうかということをいつも不安に思っているわけです。

その場合に、中国にそういう環境問題——環境問題に限らなくとも大きい危機があるとして、日本人が何かそのために働くことができれば、こんなに大きい、いい償い方はないと思いますけどね。

立花　そうですね。

外圧ではなく正義の実現として

大江　今日お話をしていて思うことなのだけれども、ひとつのテーマについて話を進めていくと、どうしても暗い側面というものが、それも取り返し不可能なような暗い側面が浮かび上がってくるわけです。それをどのようにプラスのほうに転換するかということが、結局、あらゆる人が考えなきゃいけないことだと思うんです。

僕のアメリカの友人で、ミヨシ・マサオ（三好将夫）という学者がいます。もともとは日本にいて、一高、東大で教育を受けて、戦後、苦しいときにアメリカに行きまして、そこでアメリカ人に英文学を教える。外国人が日本に来て国語を教えるみたいなものですね。それではっきりした業績を残した人です。

ノーム・チョムスキーとか、エドワード・サイードのように、アメリカ社会に異議申し立てをするというか、アメリカの隅のほうからアメリカ全体の政策の変換を求める人たちと一緒に活動をしている人ですが、彼の書いた論文の中に、日本人は外圧――もう外国語にもなっているようですけど――によって日本の方針を決めるということがある。それに対する批判というものがありました。

日本は外圧によって致し方なくこういう会議に参加し、こういう条約に署名したという言い方が国会で行われ、一般のマスコミでも行われることがあります。そろそろ日本人も、外国の圧力によってやむなくある方針を変更するのではなく、内発的に環境問題について、あるいは人口問題について、あるいは南北の富について発言するということが行われてしかるべきだと思うんです。それだけの実力を経済的にも持っている。国際的にそうした実力を発揮しなければならないというふうに思うんです。

ところが、日本人の経済的負担は増すけれども、しかし地球全体の未来に対してはプラスになるような仕事について、たいていは外国からの圧力によって、やむなく日本人がやらされているというふうに宣伝される、あれはどうしてなんでしょうか。そういう傾向は、若い人の教育のためにも決してよくないと思っておりますけれども。

立花　そういう政府、そういう官僚しか我々が持っていないということですよね。僕は環境問題なんて、早めに日本が率先してリーダーシップをとって、さっき言ったようなグローバルな制度を構築するにせよ、日本が先頭に立ってやるべきだと思うんです。しかし、一部には、環境問題の改善のために管理を強めると、経済成長が阻害される――といったようなことを心配する人がいるんです。でも、決してそうではないということは、日本の繁栄それ自体が証明しているわけです。

六〇年代の終わりごろ、日本ではさまざまな公害の問題が発生しました。それによって企業を規制する法律ができた。じゃあそれが日本の経済を弱めたかというと、決してそんなことはなかったわけです。また、ああいうときに蓄積した公害をコントロールする技術は、今、世界に売れるような状態になっています。

たとえば自動車の排気ガスの問題でいえば、一九七〇年にアメリカが大気汚染防止のために、自動車の排出ガスに対し大変に強い規制をかけてきた通称マスキー法というものがありますね。あの当時、これは日本の自動車メーカーはとてもクリアできない、日本の自動車産業はこれで壊滅だ——と言った人もいました。けれども、そうじゃなくて、法律に対応する方向で一生懸命に技術を開発をしたホンダなどは、逆にマーケットをものすごく拡大するようなことになったわけです。だから僕は、コントロールを強めるという方向は経済的なマイナスにならない、むしろ利用の仕方によっては経済的なプラスの状況はいくらでもつくっていけると思うんです。

大江　日本には環境問題をめぐり、一般の市民の中にもさまざまな運動があり、そしてさまざまな情報交換があるということは確実ですね。反公害を訴え、活動する日本の市民規模のネットワークをみると、アメリカや欧州の市民活動に比べて劣っていないと感じています。ところが、それが政治家レベルにいくと、あるいは官僚レベルにいくとそうではなくなることの意味を知りたいと思っているんです。

日本で、「手をつなぐ親の会」という、障害児の親たちの会がありまして、僕なども父母として加わっています。東京で大きい会を開いたんですが、四〇〇～五〇〇人ぐらい集まられたんじゃないでしょうか。そこで会議の報告の冊子などをもらって読んでいますと、非常に国際的なのです。障害を持っている子の親たちが集まっているという特別な組織なんですけれども、スウェーデンとデンマークから老人医療問題の専門家を会に呼びまして、非常に生き生きした討論が行われているわけです。市民規模であっても、ほんとに困難な問題を持っている人たちは、国際的な活動をしているわけです。国際的に非常に開かれた姿勢で協力しようとしている。

しかし、それがたとえば官僚レベル、政治家レベルになってくると、非国際的になる。それから、外では黙っていて、日本に帰ってくると、あれは外圧だったというような態度がありますね。

その点で、僕がいつも思い出すのは、立花さんの論文で、田中角栄氏が判決を受ける頃にお書きになった文章でした。そこで、プラトンの『国家』について、引用しておられた。日本の政治家には「正義」というものの考え方がない。政治家を囲んでいる民衆の中にもそれがない。今、正義というようなことを持ち出すのは非常に気恥ずかしいような気がするけれども、しかしプラトンが『国家』で言っている、そこでソクラテスに語らせているところの正義ということは非常に重要ではないか――というようなことを書いていらっしゃいました。あの正義という問題については、今もずっと考え続けておられるわけでしょう。

立花　僕は、日本の政治というものは、伝統的に、利害の調整であるという、そういうことしか考えてこなかったような気がするんです。

ある意味で正義という言葉はかなり怖い面があって、自分が持っている価値体系の中における正義を他者に全部押しつけようとすると、それは場合によってはかなり独裁的な政治を生み出すもとになりますけれども、ただ、やっぱり社会というものをつくっていくときに何を目的としてつくるのか。効率性とか、合理性とか、いろんなことがありますけれども、やっぱり僕は正義の実現というものを抜きにしては考えられないと思うんです。そこはほんとに外国の政治家と日本の政治家の圧倒的に違うところです。

よく、日本もこれだけの経済力をつけたんだから、政治的な発言をもっとしていけばいいんじゃないかという意見が聞かれます。そのときに、じゃあ何の基盤に立って発言していくのかといったら、自分なりの政治的な価値体系をきちんと持って、どちらの方向に国際社会を向かせるのかという、そういう発想がなきゃいけないと思うんです。

正義というと何か強く響き過ぎるかもしれないけれども、公正な価値体系、グローバルな社会が共有すべき価値体系の提案というものがないと、そもそも世界に向けた発言というものは成り立たないんじゃないかということですよね。

日本では子どもたちに対してそういう教育をきちんとやってこなかったんじゃないかと思っています。先ほど話題になったいじめの問題などにしても、もっとずっと根っこをたどっていくとその辺にあるんじゃないかという気がするんですね。

正義というのは、アプリオリにだれかがポンと与えるものではない。西洋社会の中では、正義というのは、いろんな正義を主張する人々のディベートの中でつくっていく。それがそもそも民主主義だという、そういう発想があるでしょう。ところが、そういうものを全く抜きにしちゃっているんですね。だから日本に、民主主義というのは制度としてはあるけれども、運用のされ方は全然民主的じゃない。

別に政治の世界だけじゃない。あらゆるところで日本人はとにかく議論を避けるんです。でも、議論なしの正義というのはないと思うんです。議論がないというのは、たとえばサイエンスの分野ですらそうなんですね。日本では、学会の大御所みたいな人が何か言うと、みんな表立ってその人には反論しない、みたいなことがありまして。文壇はどうか知りませんけど。ほんとに徹底的に議論がない社会です。学校教育の基礎レベルから、どうも間違っているからではないかと思います。

たとえばアメリカだと、小学校からディベートというのを徹底的にやりますよね。ああいうことをやると、正義というものが操作可能なもののように思わせる。ほんとの正義について教えるものではない——といった批判もあるけれども、決してそうじゃないと思うんです。そうじゃなくて、どこかから与えられる正義を待っているという方向でいくと、お上に支配されるという日本的政治構造から抜け出せないという気がします。

大江　プラトンの『国家』という作品は、僕も若いときによく読みました。その中で、正義というのは何かというと、ソクラテスさんはこう言っているようだという言葉があって、ポリス（都市国家）においてほかの人間との非常にいい協調関係が成立するような考え方の技術というものが正義である、そしてその正義がその都市国家の指導者によって守られるといい国家ができるということが書かれていました。

それともうひとつは、プラトンの『国家』で僕が覚えていることは、いい都市国家の成員であるための条件として、知恵というものがなきゃいけない、勇気というものがなきゃいけない、それから節制ということが必要、もうひとつは、都市国家自体に対する忠誠のようなものだったかな、今はっきり覚えておりませんけれども、その節制というのが僕は非常におもしろくて。やっぱり節制ということは非常に重要だと。欲望をコントロールするということですね。それが都市国家の中で生きていく上での非常に大きい条件になっている。

そのプラトンの時代の都市国家ということを、現在の世界に散在しているところの国家というふうに置き換えると問題点が見えてくるわけですね。

　グローバルな意味で、地球国家としてもいいですが、地球全体に拡大して考えると、プラトンの都市国家における考え方は地球全体の今後を考える上で非常に意味があると思うんです。ひとつは、民主主義というものはどうしても必要だということ。タイラント、僭主というものがあらわれて行われる、僭主の正義というものではだめで、民主主義における正義というものが行われなければいけない、さらに、民主主義における国家の存続のためには、地球が続いていくためには、知恵や勇気と同時に、節制というものがなければいけないと。そういうことを考えて、やはりプラトンの『国家』は、現在も非常に有効だと思うわけです。

解説

時代に生き、万象の深部を見る

保阪正康

タチバナ家との出会い

私が初めて、「立花隆」（以下敬称略）を実在の人物として意識したのは昭和四十八（一九七三）年六月のことであった。思えばもう五〇年近くも前のことである。私は三十三歳で、立花も同年齢であった。

当時私は勤めていた出版社を辞め、物書きを目指し興味のあるテーマを追いかけて取材を進めていた。私は大それた望みを持っていて、昭和史の年表に記された一行を単行本にしてみようと考えていた。私の世代は濃淡の差こそあれ、大体は左翼体験を持っていた。いわゆる六〇年安保世代なのである。私はといえば、日本軍国主義が東南アジアや中国を侵略したとの理解であった。しかし三十歳になろうとする頃に、ある疑問が起こった。「太平洋戦争の現実を自覚して体験した世代と異なり、私は次代の子である。それが昭和の一連の戦争を語るのに、あの戦争は侵略戦争です、と一言しか話せないのは歴史への冒瀆である。なぜ二十歳を超えたばかりの青年が、ニューギニアや南方の島々まで鉄砲を担いで行ったのか、中国の奥地にまで行って死ななければならなかったのか、今なお太平洋の海底で眠っていなければならないのか、その世代の実態を書き残すのが次代の務めではないか」

そう考えるとすぐに行動を起こした。その仕事に一生を懸けてもいい、と決意したのである。戦時関係者に伝手や人脈は全くない。そこでさしあたり年表の一行にはさまざまな人たちの人生が宿っているのだから、それを一冊の書にしていこうと考えたのである。

長々と自分のことを書いて恐縮なのだが、実はこの思いを後年、立花との二人の雑談で話したことがあった。私は饒舌であった。立花も、どのような気持ちでこの時代と向き合っているかを語ってくれた。それでもう少し、「年表の一行を一冊の書に」の話を続ける。

私はその試みとして、第一作に『死なう団事件』を書いた。この事件は、昭和十二年の社会的事象の中に出ている。並行して第二作のために、昭和七年の五・一五事件の檄文を読んでいると、その最後に「陸海軍青年将校」に並んで、「農民同志」とある。これは茨城県水戸市にある農本主義の団体、愛郷塾の橘孝三郎とその門弟たちを指している。この人たちは何を考えて事件に加わったのか、発電所の機能を止めて東京を暗黒の一夜にしようというのはどういう文明観に基づいているのか、私は知りたかった。この頃取材したい相手には、「私は野にあり、昭和史の検証をしたいと志している、取材を受けてほしい」、と手紙を投函する手法を採っていた。組織に属していないからである。すると、大体は取材に応じてくれた。

私は水戸の橘孝三郎に手紙を書いた。橘は当時、右翼の大物と言われていた。実際には生真面目な知識人で、第一高等学校を卒業一週間前に辞め、栄達の道が人間を幸せにするわけではない、土に帰るのが人間本来の道だと、たった一人で森林の開墾を始め、文化村を作った理想主義者であった。英語やラテン語にも通じ、原書で読んでは独自の農本主義思想を固めた人物でもある。橘は、私の手紙に興味を持ったらしく、四〇〇字詰めの原稿用紙一枚の真ん中に、「諒解」という二字だけが書かれた返事が届いた。それから二年近く月に二度、水戸に赴き、橘孝三郎の取材を進めた。

私の取材に、「君の質問は戦後の民主主義思想に毒されている」とか「今度来る時はベルクソンを読んできて質問しなさい」「次回はロバート・オウエンを読んで質問するように」と言う。それでも取材は断らない。しかもいわゆる民族主義団体の人たちが来ても、私を決して紹介しない。常に一対一であった。私はその心配りに感謝した。私は今なお橘孝三郎を知識人として尊敬しているし、その知性に畏敬の念を持っている。

取材を進める中で、橘と個人的な会話も交わすようになる。最終段階であったが、橘が次のように言った。それが冒頭に書いた昭和四十八年六月だったのである。

「私の一族にはいろいろな人材がいる。君くらいの年齢で出版社を辞めて、どこか中近東を放浪してきて、今は新宿で飲み屋をやっている若者もいる。なにやら原稿を書く仕事もしているそうだ。こういう生き方をする者が出てくる家系なんだな」

名前は言わなかった。しかし「立花隆」という名を思いついたのは、月刊『文藝春秋』に文明論や中近東の内部事情を書いているライターがいたからだ。加えて私が第一作を刊行したあとに初めて電話をかけてきた講談社の編集者Aさんから、立花隆というライターがいずれ出てくるだろうと聞かされてもいたからだった。

この会話を交わした七か月後の昭和四十九年一月に『五・一五事件——橘孝三郎と愛郷塾の軌跡』を私は上梓した。この書を届けて二か月後の三月三十日に、橘孝三郎は老衰で亡くなった。八十一歳であった。そして立花が、月刊『文藝春秋』誌上で、首相田中角栄の金脈問題をとりあげたのが、この年の十一月であった。

この立花について、私は橘孝三郎の知識人の系譜を継ぐとは思わなかったが、社会に出てきた立花隆は、すでに固有名詞として私の前に佇立していたのである。橘孝三郎の口ぶりには、一族の才能を確かめるような響きがあったことを私は思い出すのであった。

あえて付け加えておくが、私はこれまで昭和史の具体的な史実の確認を求め、この五〇年近く延べにして四〇〇〇人近くの人に会ってきた。日本だけではなく、アメリカ、イギリス、ロシア（旧ソ連）、中国、韓国、そのほかタイ、インドネシアなどでも第二次世界大戦に従軍した兵士や指導部の軍人たちにその体験談を聞いてきた。そうしてわかったことがある。

「ああ、この人は普通の人とは違う。あえて言うなら『歴史の神』がいるとするならば、この人はその神に選ばれた人だな」と実感できる人物が存在するのである。そういう人の特徴は、利害とか社会的計算とか、あるいは他者の目といった規範をある時期から持たない。自らの心情を軸にして、思いついたり、考えついたことを正直に行動に移していく。自らの気持ちを抑えることはできないタイプである。そういう人が四〇〇〇人余の中にも五、六人確かに存在していた。

橘孝三郎とはまさしくそこに選ばれる人であった。「歴史の神」は近代日本に知性と感性の優れた人物を送り込み、人類史に何らかの貢献をさせようとするのである。私は孫文に会ったことはないが、孫文の情熱に打たれて辛亥革命に協力した日本人やその遺族には何人か会って取材を進めたことがある。彼らの中にもそういうタイプは存在した。孫文もまたそういうタイプであった。

のちに立花と三、四時間に亘り会話を交わすことになるのだが、ああこの人もそういうタイプだなとの実感を持った。その思考、発想、そして自らが見出したテーマに向き合う姿勢などは余人の考え方とは全く異なる方向性を持っているのである。

私は橘孝三郎の告別式に行ったのだが、そこに知り合いはなく、橘の子供達に挨拶をした後は部屋の隅で葬儀の光景を見ていた。そこに、「君が保阪君か」と話しかけてきた初老の男性がいた。名刺を交換することになったが、確か日本書籍出版協会の理事の肩書を持っていたように思う。そこでしばらく会話を交わすことになった。驚いたことに立花隆の父親というので、私は居住まいを正すことになった。橘孝三郎のことをよく調べる気持ちになったね、と言われて、私は年表の一行を一冊にと考えているのです、と持論をまた口にした。

問われるままに、さまざまな話を交わした。私が印象に残っているのは、君はクリスチャンか、と尋ねられたことであった。私の家庭にはクリスチャンはいるが、私は距離を置いていると答えた。しかし聖書は読んだことがあるし、賛美歌も歌えるとも答えた。私の卒業大学がキリスト教を教育の柱にしているので質問したようだった。のちに自身もクリスチャンとわかった。一時間余は対話を続けたであろうか。別れ際に、一行を大切にする志は大事だ、ずっと続けたほうがいい、それに値する仕事だよ、と励ましてくれた。こうして私は、立花隆と知り合う前に、父親の従兄の橘孝三郎、父親の橘経雄と知り合っていたのである。この話を延長すると、実は隆の兄・弘道（朝日新聞記者）とも親しく三時間ほど対話したことがあった。昭和五十年代だったが、ある件で取材を受け、顔見知りとなった。たぶん私を応援するために紙面に名前を出してくれたのだろう。

その後、たまたま弘道と同じ新幹線に乗り合わせ、席を移動して大阪まで雑談を交わした。当時、立花は何冊か書を著していた。私はといえば相変わらず昭和史の史実を追って、その種の書を出していた。弘道はフリーは生活が大変だろうが、意に染まぬ仕事はしないほうがいいなどの助言をしてくれた。弟はああいう形で現代のテーマを追いかけているが、保阪さんは昭和史の検証に徹すればいい、との励ましももらった。

こうして橘一族と知り合って気がついたのは、二つのことである。ひとつは、立花隆という人物は自らの生きる道筋に芯を持っているということであった。その芯とは「時代に生きる」という姿勢であった。もうひとつは、自らの関心事は徹底して問い詰める。つまり妥協はしないという軸である。この軸は「万象の深部を見る」という言葉でも表せようか。橘家の人びとに、私はその軸が一様に流れていると受け止めた。

実際に立花の執筆活動はまさにそう形容する以外にないほど時代変革のうねりを起こしているように思う。

ノンフィクションの世界は「田中角栄研究」で幕を開けた

私は、立花の作品に関しては熱心な読者の側にいた。むろんすべての書を読んだわけではないが、関心のあるテーマ（たとえば「死」とか現代史もの）についてはよく読んだ。ノンフィクションという語に息吹きを与えたのは、彼の力によるというのが正しいだろう。ノンフィクションとかドキュメントといった分野が、とにかく幕を開けたのは彼の「田中角栄研究――その金脈と人脈」からであろう。月刊『文藝春秋』の昭和四十九年十一月号のレポートを以て嚆矢とするのは、ちょうど近代日本文学が明治二十年の二葉亭四迷の『浮雲』に端を発するのと似ているが、現実にはノンフィクションという分野は、この時からひとつのジャンルを形成していった。時代が要求し、そして立花がそれに応えたのである。出版社と著述家の意思が合致したともいえた。

とはいえ本来なら作家が自前で書きたいテーマを選び、自らすべて取材して、構成も自分で決め、テーマも作家自身の視点で固めて書くのが常道のはずであった。

しかし日本のノンフィクションはそのような発展を遂げなかった。何しろ取材費がかかる。加えて関係者の取材のアポイントを取るのは、大変である。新聞社や出版社の名で取材申し込みをするならすぐに話もつくだろうが、ノンフィクション作品を書いている文筆家と言っても、日本社会ではそれほど簡単にアポイントは取れない。私的なことになるのだが、東條英機という軍人の評伝を七年間（昭和四十八年から五十四年まで）の取材時間をかけて、著したことがある。取材対象者に手紙を書き、私は野にあり昭和史の研究を志している旨を書き、このような視点であなたを取材させてほしいと伝える。すでに記したが、橘孝三郎への取材申し込みもそうであった。こういうやりとりの後に、やっと会えるか否かが決まるのである。

もっとも会社の名で取材を行うわけではなく、個人名での取材だから逆に信頼関係が深まり、人間と人間という関係で意外な話や本音を聞くこともできる。そうはいってもこれではひとつのテーマを二年も三年もかけて追わなければならず、生活などできない。

結局日本のノンフィクションは、出版社がテーマや取材の枠組みを決めて執筆者に依頼するという形を取るのが普通の手法になった。むろん取材費などは出版社が負担するのである。ノンフィクションはこうした分業の副産物という形で歴史を担うことになった。この過程でノンフィクション作品を書く側で名実ともに、その著述者の作品のレベル、テーマの斬新さ、さらには現在の日本社会の分析などで、「出版社が作家を使う」のではなく、「作家が出版社を使う」という形に変えたのは、実は立花隆だったのである。立花の持つテーマ、時代の分析、読者への知的刺激などは、出版社がむしろ積極的に応援する構図になったのだ。

その意味で立花は、ノンフィクションやドキュメントが自立していく時のトップランナーだったのである。私のように限定したテーマに絞り、作品を書いている者にとって、立花が切り開いた道筋は、極めて有難い存在であった。出版社から、昭和史の中のこういうテーマでこういうことを書いてくれないかと頼まれることが、私にさえ増えたのである。これは立花のおかげだと、私は密かに頭を下げた。取材費は出してくれる、取材補助のために専門記者をつけてくれる。取材の確定、取材日などは電話でその日に決まり、翌日は取材対象者と会って話をきいているのであった。むろんこれは日本のノンフィクション作品の生産過程としては、いいことばかりではない。ある意味で出版社主導の作品を生み出すことでもあり、作家の主体性をどのように確保するかという戦いがあった。

やはり指摘しておかなければならないことだが、この点でもひとつの型を作り上げていったのは立花だったということになる。立花の持つテーマの広がりは、ノンフィクションに関心を持つ著述家の域を超えていた。私はそれを先に書いた二つの特徴というのだが、「時代を生きる」と「万象の深部を見る」を何よりも重視することが、立花の主体性の確保であり、それを自覚する以前にすでに持ち合わせているところが、立花を「歴史の神」から呼び出されたという所以であった。そして、それは一族の人々の知性と感性から生み出されたというのが私の実感だったのである。

私が立花と会う前に、一族の人々と深い会話を交わしたときに、私は多くの示唆を受けていた。橘孝三郎に、次の取材では「ベルクソンを読んできて質問しなさい」といわれたときに、実は私は内心で怒りを感じた。しかしベルクソンなど学生時代に一度か二度読んだにせよ、その内容はわからなかった。腹は立ったが、改めてベルクソンを読んで、大正、昭和の橘の行動の中に独自の行動哲学があることを知った。むろん私は肯定はしない。しかしそういう取材態度を取る人物に、私は出会ったことはなかった。それだけに怒りは新鮮な驚きに変わった。

私が立花と最後に会ったのは（深い会話を交わしたのは、との意味になるのだが）、七年ほど前になるだろうか。立花から、ある資料を入手したのだが、その資料は自分はさほど関心がない、保阪さんの関心のあるテーマだと思うから、読んでみてくれないか、あるいは参考資料として使っていいとの連絡を受けた。橘孝三郎関連の歴史資料である。私には興味のある資料であった。初秋の午後のある時間に彼の仕事部屋を訪ねた。彼の仕事部屋を訪ねるのは、初めてのことであった。雑然とした部屋で、その資料についての私の関心を話し終えると、「ところで橘孝三郎という男はどんな人なの。実は僕はよく知らないんだ。親父の従兄になるんだろうけど、あまり接触したことがなくてね」と水を向けてきた。

実際に橘孝三郎について、ほとんど知らない、というのは会話を交わしてみて、すぐにわかった。内心で私は、立花の心情がよく理解できた。五・一五事件、右翼、テロといった言葉がすぐに重なり合う。自分の立場がそのようなイメージで理解されるのは、不本意であることに変わりはない。彼自身、ある時期までにそういう関係を口にしていなかった。私は理由を推測するのだが、彼が「日本共産党の研究」を月刊誌で長期連載し、やがてそれが単行本として刊行された（〔上〕一九七八年三月、〔下〕七八年九月）ことにあると思う。この書は日本共産党の極めて冷静な通史であった。詳しいことは省くが、当然共産党にとっては不快な解釈もあったであろう。反共分子による反共攻撃という類の批判もくり返されたように思う。

私が仄聞したことになるのだが、共産党系のジャーナリストのなかには、立花の親戚には右翼の大物がいるといった噂を振り撒く者がいたという。あるいはこの取材チームの中に、共産党への内通者が入り込んでいたとも私は聞かされていた。そういう姑息な方法で反論することを、私は極めて不快に感じた。私は具体的にそういう話をするジャーナリストとは距離を置くことにしていた。

立花の仕事部屋で、私は彼と都合四時間ほど対話している。橘孝三郎は稀に見る知識人であり、極めてストイックにことにあたる理想主義者であり、何より人道主義者の孝三郎が、陸海軍の将校や士官の計画した事件になぜ奇妙な形で参加したのか、それも愛郷塾の門弟に変電所を襲わせ、東京を一晩だけ暗黒にしようとしたのか、私はひとつずつ克明に説明していった。事件そのものには極めて不快であり、ある意味で日本を超国家主義の誤った方向に進めることになったのは事実であり、これを否定することは孝三郎にも非礼にあたる、という考えも伝えた。私がまだ三十代前半で、橘孝三郎に取材していた折にも、事件は日本を間違った方向に進めた、と正直に伝えた。孝三郎は激昂して、帰れとどなるのではないかと覚悟した。ところが、まったく感情を顕わにしないで、君は戦後民主主義にどっぷりと浸かっているね、と言っただけで、私の質問には答え続けた。そんな話まで語ると、立花は苦笑いを浮かべながら、私の話に同意した。

これは本来、私の書くべきことではないのだが、立花はあるコラムの中で私のことについて触れている。もう一〇年ほど前になるだろうか。昭和五十年前後に、父親から「保阪正康という男を知っているか」と尋ねられたと言い、「知らない」と答えると、父親は私のことを誉め言葉で語ったというのである。このコラムを読んだときに、私は橘孝三郎の告別式で経雄と話したことをいくつも思い出した。

もし私を誉めたなら物おじせずに橘孝三郎と会い、さまざまなことを聞き出して、愛郷塾のことを書く、そのことは右翼、左翼といった分け方など知ったことではない、という態度を示していることに、経雄は興味を持ったのであろう。

「橘家というのは、一族には学者が出ているようですね。戦前には改造の編集者もいたというし」

私はしばらく橘孝三郎を調べた時の、記憶と記録を思い出しながら、会話を続けた。話がどう展開したのかは定かには覚えていないが、やがてお互いにがんを患っていることがわかった。それからがんの話に移った。

ヒトの人たる所以に真っ向から向き合って

私が腎臓がんの診断を受け、即日に入院して腎臓のひとつを摘出したのは、平成十八（二〇〇六）年一月十二日であった。さして驚かなかったのは、この時まで医者にかかったこともなく、日頃の生活の健康管理に無頓着であったからで、その罰が与えられたのだろうと覚悟した。セカンドオピニオンの医師が五十代半ば、誠実な人で、丁寧に説明をしてくれたうえに、まだステージも進行していないことを、冷静に語ってくれた。いわば初期の段階だというのである。

私は六十六歳で、死をも一応は覚悟した。遺書も書いた。

そういう話を、立花に語った。ところが彼は、それは腎臓のどの辺にできたのか、どういう部位の何というがんなのか、と次々に質問を発する。私は答えることができない。あるいは中途半端な答えになる。私はそこまで詳しく自分の病状に関心はない。言ってみれば医療の側に任せている。むしろ詳しく知ると逆に、医療の側との関係もスムーズにいかなくなるのではないかと案じていた。そういう態度に立花は苛立っていることがわかった。呆れたという表情にもなった。自分の体に無責任ではないかという言も吐いた。私は確かにそうだと頷いた。

実は自分も膀胱がんになっている、糖尿病も患っている。そしてそれらの病気については、現在、どのような状態なのか、自分は徹底的に調べて病状を理解している、と話し出した。それからの二時間余、私は立花から膀胱がんについての詳細な説明を聞いた。自分はどの部位がどのようになっているのか、がんはいかなるように発生し、今はどういう状態にあるのか、それこそ私が膀胱がんの患者であり、彼がその主治医であるかのように丁寧に説明してくれるのである。「保阪さんは無責任だよ。病状を確認しなければ……。自分の体に対してもっと関心を持たなければ」とも途中で言われて、その通りだと思った。私はこの人は、がん患者なのに、がんの専門医なのかと、彼の説明を聞きながら考えこんだ。やがてその人生への向き合い方に納得したのである。

立花も、私もそれぞれ多忙な時であった。しかし私もその後の約束はすべてやめて、多分立花もそうであったのだろうが、私たちは膀胱がんの話に熱中した。二時間以上も彼の話を聞いていて、私はあることに気がついた。それは立花には言えなかったが、彼は膀胱がんを治癒、あるいは克服するためにこのがん細胞のメカニズムを説明しているのではなかったのだ。その熱っぽい口ぶりは、自分の中に住み着いたがん細胞と戦うためにその実態を探り当てているのではないと、私は確認したのである。そこに気がついた時に、私は彼はやはり自らの意思を超えて生かされている歴史上の人物であるとつぶやかずにはいられなかった。

この時の直観は当たっていると、私は考え続けてきた。その考えとは次のような言い方で語ってもいいであろう。

「立花は、二段階方式の思考を持つ人だ。最初の段階は人類（あるいはヒト）という視点で万象と向き合う。その次の段階は、自分である。立花隆という己は、常に二義的な存在なのである。この人はやはり歴史の神に突き動かされている稀有の人だ」

このことをもっとわかりやすく説明しておくならば、立花は自らの治癒のために膀胱がんを詳細に調べたのではなく、自らに住み着いたがん細胞が膀胱にどういう形で侵蝕しているのか、それを確認したかったのである。それが第一段階であり、さてそれと自分がどういう治療を選ぶか、あるいは治療をしないのか、それは次の問題なのであった。私はこの時の四時間近くに及ぶ対話の中で、初めて立花隆という人物の人生観がわかったような感がした。この日の帰り道、私は通称猫ビルといわれる立花の事務所からの坂をゆっくりと歩きながら、立花の書こうとするテーマが次第に二つに分化していることに気がつき、同年代のノンフィクションやドキュメントの域を超えていることが確認できた。彼は「ヒト」の人たる所以に真っ向から向き合ったのだ。

あえてもう一点、付け加えておこう。

立花は最終的には病状は八種に及んだという。しかし一年ほど前に再入院してからは治癒のための検査、治療、手術などはすべて拒み、自らの肉体の自然消滅に素直に従ったという。そのことを聞いて、私は二義的な問題についてはきちんと答えを出していたんだなと実感した。あの七年前の対話の中で、立花は、がんになったからといって治癒のためにすべてを調べるのではない、自分が納得するために調べるんだとの人生哲学を示していたのだと知って、死を淡々と受け入れた姿に想いを馳せて涙が出てきた。あの時の、自分の腎臓がんをなぜ詳細に調べないのか、口調を改めた姿に、同じ物書きとしてあまりにも生きる姿勢に差があり、私は今は心底から羞恥の感情に囚われて俯いてしまうのだ。

立花が晩年になると、「死は怖くない」と発言していると聞き、その真意も私はよくわかるようになった。立花は自らの肉体にすみついたあらゆる病の実態を知りつくし、最後の哲学にたどり着いたように思う。その哲学通りに実践しての死であったように思う。立花の猫ビルの三階にある執筆室、雑然とした部屋の中で、「まあ適当に座ってよ」と言いながら始まったあの対話は、のちに思い出せば色々な縁のクライマックスのようなものだったのだろうか。立花の一族の人たちと知り合い、私を記憶して折々に出会った時に励ましの言葉を与えてくれたことを思い出すと、立花と最後の対話になった時間の中に、私は考える以上の重い哲学が潜んでいたと思えてならない。

私がそれを十全に理解しえたかと思うと、改めて自らの視野の狭さに苛立ちを感じるのである。

しかし私が、ただひとつ立花の質問に答え得たのは、日本軍国主義の実態と戦争体験の継承をいかに私たちの世代でなしうるか、という点であった。この点については、立花も私も世代的な役割を自覚していた。触れておかなければならないことだ。

戦後民主主義教育、第一期生としての責務

私と立花は六か月ほど私が早くに生まれているために、小学校教育は一年私が早かった。私は昭和二十一（一九四六）年四月に国民学校に入学した。この年はまだ国民学校と言っていたのである。北海道の人口二万人余の町の小学校であったが、まだ教育制度も、教育環境も、昭和二十年四月の頃と変わりなく、変わったのは教育内容であった。いわゆる戦後民主主義教育の始まりであった。

私たちは、ミンシュシュギという語を最初に習った。昭和二十一年はまだカタカナから学んだのである。立花は翌二十二年に小学校に入学したことになる。この年四月から教育制度は改まり、名称も小学校となり、すべての教科書も揃うようになった。新制度下の第一期生といえば、やはり立花の世代になるのであろう。すでに彼も書き、話している通りだが、しかし私の年代は実質的な第一期生というのは我々の年代だと自負している。戦争が終わったとはいえ、制度のもとでの第一期生と教育内容の新しい理念のもとでの第一期生、一年違いとはいえ、私と立花との年代の差にはそのズレが示されている。そのズレをただすのが戦争教育への徹底した批判だった。それは三つの歴史的意味をもっているはず

であった。

一、我々の年代が「戦争」の批判を行い、その誤りを継承するのは歴史的責務である
二、あの戦争を選択した責任と批判は明確な論理と具体的事実で指摘するべきである
三、日本社会から戦争体験者が全くいなくなったときに、日本人は戦争否定の論理は確立しえているだろうか

立花の戦争批判、そして日本社会の将来についての論点と分析もこのような視点に基づいていると私が理解したのは平成二十一（二〇〇九）年であった。私の出身地・札幌でシンポジウムが開かれることになり、私が人選などを担当し、北海道から近現代史の視点を全国に発信しようということになった。私は半藤一利と立花に連絡を取り、出席をお願いした。二人とも快く応じてくれた。そのシンポジウムで、立花は私の決めたテーマに合わせてくれたのか、日本の将来に極めて示唆に富む話を感情をこめて説いた。

私と半藤はいかに昭和史の教訓を次代に語っていくべきか、そういう話であった。ちょうどその頃は三人とも大学に講座を持っていたのだが、私と半藤はその体験を通じてどう

いうことをどのようにして語り継いでいくべきか、そういう話になった。三人がそれぞれ三〇分ずつ講演を行い、そのあと休憩を挟んで一時間半ほどシンポジウムを続けるというのが、約束であった。立花は話し出すと、特に興がのると時間を忘れてしまうので、私と半藤はそれぞれ二〇分話すことにして、二人の削った時間の二〇分を立花に回すと決めた。五〇分あれば、彼の講演も終わるだろうと予測したのであった。しかし立花は話をすべて伝えたかったのか、五〇分ほど過ぎても終わらない。結局一時間を過ぎても終わらなかった。

その時の話を、私はよくおぼえている。それほど衝撃的、かつ刺激的な内容だったのである。立花は時に苛立ちを露骨に表しながら話し続けた。聴衆も特に騒ぎ立てるわけではなく耳を傾けていた。それだけ立花の話は関心が持たれたのであった。私は立花が近現代史の研究者やジャーナリストなどとは一味違うな、と思ったのもこの時であったが、彼は戦争はなぜ起こったのか、どういうシミュレーションの元での判断だったのか、彼我の戦力比をどう考えるか、という点にポイントを絞って論じた。

対アメリカとの戦力をどう比較したのか、そこを問題にしたのである。すべての数字は戦争の結果について「勝利」などはあり得ない、というのが結論のはずなのに、それでも戦うというのはどういうことなのか。そのことをこの時は説いたわけではないのだが、立花が問題にしたのは以下のようなことだった。軍事が行うシミュレーションの折に、敵と味方が衝突したら、その勝敗についていくつかのパラメーター（変数、測定値）にいろいろ数字を入れていく。客観的な数字を入れるだけでは、日本に勝ち目はない。ところがもっとも楽観的な数字を入れると、それでも敗北と出るが、しかし僅差で敗れるとなる。そこで軍事指導者たちは、日本には精神力という数値化できないプラスがある、といったような判断をする。そして戦争に入っていったということになる。

立花の講演はこのことが本題ではなかったので、このからくりが日本人の欠陥であるというような例のひとつに挙げたに過ぎなかった。しかし私はこの説明を聞いて、立花の歴史を語り継ぐ姿勢の本質がわかった。というよりこの人はやはり余人と違うという実感であった。私は日本の軍事指導者の最大の欠点は、「主観的願望を客観的事実にすり替える」という点にあると考えてきた。そういう例にまさに符節すると思った。立花のこういう指摘は、実は無意識のうちに「ある立場（日本的指導者というべき）」に立つ人の思考方法そのものだとも気がついたのである。そのことを語っておかなければならない。そこに民主主義教育を受けた世代が自立していった姿がある。私はそのことに感銘を受けたのである。

君たちは歴史のなかで何を自らに問うて生きるのか

一般的には、戦争体験を語るには自らの身体的、社会的体験を語るのが普通であり、そのことによって「体験の継承」という言い方で括られていく。あえていえば「一次的継承」という表現で語ってもいいかもしれない。俗に言う継承はこのような理解であろう。さてこれとは別に他者の体験を聞き取り、それを語り継ぐ「二次的継承」という手法がある。むろんこれは私なりの用い方であり、すべてをうまく捉えているとは思わないが、こうした分け方をしていかないと歴史の継承という意味は散漫になってしまう。

そのほかに「三次的継承」があると考えてきた。それは体験の教訓化、あるいは継承の社会化ともいうべき内容である。戦争体験を自らの身体から離して客体化するのである。一次的継承を感性という語で語るなら、三次的継承は知性とか理性ということになろうか。付け加えておくが、戦争体験はないが、体験を聞く、読むなどで確かめ、それを語り継ぐ前述の二次的継承は必然的に三次的継承の要素を取り入れていなければ普遍性を失ってしまうことになる。

私が、昭和史や太平洋戦争を語り継ごうと志しているのは、「一次的継承」「二次的継承」から「三次的継承」までを踏まえてと考えているのだが、どうしても一次的継承、二次的継承が軸になり、三次的継承は主ではなく、従という姿勢になってしまう。私の見る限りほとんどは一次的継承を語り、その結論として「戦争は嫌です」「こんな非人間的所業はありません」と結論づける。その方程式のような問答がこの国の平常の姿である。立花はそうではなく、三次的継承を初めに持ってきて、それを説く。そして一次的継承に目を移す。私などとは異なってかなり知性的、理性的なプロセスを辿っている。

立花は、自らの戦争体験を土台に据えるにせよそこから人類の、あるいは地球規模の、そしてとうとう科学によって身を滅ぼすような兵器を作り上げてしまった我々の時代が、どのように変転するのかに、知的に興味を持っている。その関心は自らの体験の一部が拡大していった末に辿り着いたのである。一般には感性から知性へ、と移行するが、立花は感性はきっかけで、知性が二重、三重に拡大していき、そして感性が時に知性をさらに押し上げるといった役割を果たしている。

立花は、体験の継承を「三次的継承」から説く。なぜだろうか。開戦前の彼我の戦力比に大きな違いがあるのに、なぜ戦争を選んだのかとの問いは、普通には継承のレベルでは初めに来ることではない。しかし立花は自らも戦後民主主義の第一期ともいうべき世代だと簡単に言った後に知性で説くのだ。本書の長崎大学での講演（二〇一五年一月十七日）は、私たちとの札幌でのシンポジウムから五年余後になるが、読んでいて立花の体験継承を土台に据えての知性の分析による覚悟が感じられて、私は立花の心中に「人生の段階（生きるステージ）」が上がってきているのだな、と受け止めた。私が猫ビルで四時間ほど対話した頃になるだろうか、立花の中に、「若い世代」に語り継ぐという姿勢が生まれているということであった。それは何も若い世代と接するという意味ではなく、君たちは何を参考に生きるのか、歴史のなかで何を自らに問うて生きるのかを、自分に問え、その時の参考の一助にと私は語っているんだ、私だってそう問うてきたんだ、という感情の迸りが感じられる。

この講演には立花が、思考を深めることになる歴史のキーワードがさりげなくある。少々引用すると、「僕は一〇〇％戦後民主主義世代なんです」「僕たちは戦前と戦後の時代の断絶を感じながら生きてきました」「あの戦争のあの原爆体験というものは、本当にすべての人が記憶すべき対象です」「戦争が終わったときにどん底で、僕はそのときに五歳ですから、毎日食うものもなくて、本当に大変だったんです」などから立花の知性は、放射線状に広がっていった。

さらに一次的継承の試みというべきだが、立花は大胆な方法も考えている。二〇一〇年六月に立教大学の立花ゼミで、主にゼミ生を相手に母親の龍子、兄の弘道、妹の菊入直代、そして立花の四人で、「敗戦・私たちはこうして中国を脱出した」というタイトルで終戦時の体験を語っている。札幌での私たちの「戦争体験を次代にどう語り継ぐか」の実践でもあったのだろう。

これが長崎大学への講演につながっていったように、私には思われる。私は立花が恐れていたのは、この社会が「体験」から何も学ばないという怠慢ではなく、この社会は形を変えて同じ誤謬を重ねる「習性」があるという不安ではなかったろうか、という感がしてならないのである。

立花の言動は一次的継承を語ることで、歴史の継承が戦争体験者が一人もいなくなった時代に知性だけで語ることによる歪みを正そうとしたのかもしれない。彼自身があの戦争の愚かしさと一線を引いていた世代の感性と知性の両輪を信頼し、それを歴史に刻もうとしていたのかもしれない。

私は立花よりも、その一族と会い、知性の刺激を受けてきた。立花との対話を思い出すと会った回数は少ないにせよ、三時間も四時間もの対話を交わしていた時に彼のイントネーションに、あれは水戸の訛りだろうか、あるいは長崎のなごりだろうか、と窺える時があった。私にも北海道のイントネーションがあっただろう。がん患者の体験を持つ私たちは、死について生育地の訛りを交えて驚くほど淡々と向き合っていることを確認した。同年代のトップランクの頭脳と会話しているな、との思い出が懐かしい。

立花 隆（たちばな・たかし）

1940年長崎県生まれ。64年、東京大学仏文科卒業後、文藝春秋に入社。66年に退社し、東京大学哲学科に学士入学。その後、評論家、ジャーナリストとして活躍。83年、「徹底した取材と卓越した分析力により幅広いニュージャーナリズムを確立した」として、菊池寛賞受賞。98年、第1回司馬遼太郎賞受賞。著書に『田中角栄研究 全記録』『日本共産党の研究』（講談社文庫）、『宇宙からの帰還』『脳死』（中公文庫）、『脳を鍛える』（新潮文庫）、『臨死体験』『天皇と東大』（文春文庫）など多数。2021年４月30日永眠。

立花隆公式サイト https://tachibana.rip

立花隆　最後に語り伝えたいこと
――大江健三郎との対話と長崎大学の講演

2021年８月10日　初版発行

著　者　立　花　隆

発行者　松　田　陽　三

発行所　中央公論新社

〒100-8152　東京都千代田区大手町 1-7-1
電話　販売　03-5299-1730　編集　03-5299-1740
URL http://www.chuko.co.jp/

ＤＴＰ　市川真樹子
印　刷　大日本印刷
製　本　小泉製本

Published by CHUOKORON-SHINSHA, INC.
Printed in Japan　ISBN978-4-12-005459-4 C0036

定価はカバーに表示してあります。落丁本・乱丁本はお手数ですが小社販売部宛にお送り下さい。送料小社負担にてお取り替えいたします。